Indústria cultural e sociedade

Theodor W. Adorno

Indústria cultural e sociedade

Seleção de textos
Jorge M. B. de Almeida

17ª edição

Paz & Terra
Rio de Janeiro
2024

© Theodor W. Adorno

CIP-BRASIL. CATALOGAÇÃO NA PUBLICAÇÃO
SINDICATO NACIONAL DOS EDITORES DE LIVROS, RJ

A186i
17ª ed.

Adorno, Theodor W.
Indústria cultural e sociedade / Theodor W. Adorno; seleção de textos Jorge M. B. de Almeida. – 17. ed. – Rio de Janeiro: Paz e Terra, 2024.

ISBN: 978-65-5548-014-6

1. Comunicação de massa – Aspectos sociais. 2. Sociedade de massa. I. Almeida, Jorge M. B. de. II. Título.

20-67641

CDD: 302.23
CDU: 316.774

Leandra Felix da Cruz Candido – Bibliotecária – CRB-7/6135

Texto revisado segundo o novo Acordo Ortográfico da Língua Portuguesa.

Todos os direitos reservados. É proibido reproduzir, armazenar ou transmitir partes deste livro, através de quaisquer meios, sem prévia autorização por escrito.

Direitos desta edição adquiridos pela
EDITORA PAZ & TERRA
Rua Argentina, 171, 3º andar – São Cristóvão
Rio de Janeiro, RJ – 20921-380
www.record.com.br

Seja um leitor preferencial Record.
Cadastre-se e no site www.record.com.br
e receba informações sobre nossos lançamentos e nossas promoções.

Atendimento e venda direta ao leitor:
sac@record.com.br

Impresso no Brasil
2024

Sumário

A indústria cultural: o Iluminismo
como mistificação das massas
Theodor W. Adorno e Max Horkheimer (1947)   7

Crítica cultural e sociedade
Theodor W. Adorno (1949)   69

Tempo livre
Theodor W. Adorno (1969)   97

A indústria cultural: o Iluminismo como mistificação das massas[1]

Theodor W. Adorno e
Max Horkheimer (1947)

A tese sociológica de que a perda de apoio na religião objetiva, a dissolução dos últimos resíduos pré-capitalistas, a diferenciação técnica e social e a extrema especialização deram lugar a um caos cultural é cotidianamente desmentida pelos fatos. A cultura contemporânea a tudo confere um ar de semelhança. Filmes, rádio e semanários constituem um sistema. Cada setor se harmoniza em si e todos entre si. As manifestações estéticas, mesmo a dos antagonistas políticos, celebram da mesma forma o elogio do ritmo do aço. As sedes decorativas das administrações e das exposições industriais são pouco diferentes nos países autoritários e nos outros. Os palácios colossais que surgem por toda parte representam a pura racionalidade sem sentido dos grandes cartéis internacionais a que já tendia a livre-iniciativa desenfreada, que tem, no entanto, os seus monumentos nos sombrios edifícios circundantes — de moradia ou de negócios — das cidades desoladas. Por sua vez, as casas mais velhas em torno ao centro de cimento armado têm o aspecto de *slums* [favelas], enquanto os novos bangalôs às margens das cidades cantam (como as frágeis construções das feiras internacionais) louvores ao progresso técnico, convidando a liquidá-las, após um rápido uso, como latas de conserva. Mas os projetos urbanísticos que deveriam perpetuar, em pequenas habitações higiênicas, o indivíduo como ser independente, submetem-no ainda mais radicalmente à sua antítese, o poder total do capital. Do mesmo modo como os habitantes afluem aos centros em busca de trabalho e de diversão, como produtores e consumidores, as unidades de construção se cristalizam sem solução de continuidade em complexos bem organizados. A unidade visível de macrocosmo e de microcosmo mostra aos homens o modelo de sua cultura: a falsa identidade do universal e do particular. Toda a cultura de massa em sistema de economia concentrada é idêntica, e o seu esqueleto, a armadura conceptual daquela, começa a delinear-se. Os dirigentes não estão mais tão interessados em escondê-la; a sua autoridade se reforça quanto mais brutalmente é reconhecida. O cinema e o rádio não têm mais necessidade de serem empacotados como arte. A verdade de que nada são além de negócios lhes serve de ideologia. Esta deverá legitimar o lixo que produzem de propósito. O cinema e o rádio se autodefinem como indústrias, e as cifras publicadas dos rendimentos de seus diretores-gerais tiram qualquer dúvida sobre a necessidade social de seus produtos.

Os interessados adoram explicar a indústria cultural em termos tecnológicos. A participação de milhões em tal indústria imporia métodos de reprodução que, por seu turno, fazem com que inevitavelmente, em numerosos locais, necessidades iguais sejam satisfeitas com produtos estandardizados. O contraste técnico entre poucos centros de produção e uma recepção difusa exigiria, por força das coisas, organização e planificação da parte dos detentores. Os clichês seriam causados pelas necessidades dos consumidores: por isso seriam aceitos sem oposição. Na realidade, é por causa desse círculo de manipulações e necessidades derivadas que a unidade do sistema torna-se cada vez mais impermeável. O que não se diz é que o ambiente em que a técnica adquire tanto poder sobre a sociedade encarna o próprio poder dos economicamente mais fortes sobre a mesma sociedade. A racionalidade técnica hoje é a racionalidade da própria dominação, é o caráter repressivo da sociedade que se autoaliena. Automóveis, bombas e filmes mantêm o todo até que seu elemento nivelador repercuta sobre a própria injustiça a que servia. Por hora, a técnica da indústria cultural só chegou à estandardização e à produção em série, sacrificando aquilo pelo qual a lógica da obra se distinguia da lógica do sistema social. Mas isso não deve ser atribuído a uma lei de desenvolvimento da técnica enquanto tal, mas à sua função na economia contemporânea. A necessidade, que talvez pudesse fugir ao controle central, já está reprimida pelo controle da consciência individual. A passagem do telefone ao rádio dividiu de maneira justa as partes. Aquele, liberal, deixava ainda ao usuário a condição de sujeito. Este, democrático, torna todos os ouvintes iguais ao sujeitá-los, autoritariamente, aos idênticos programas das várias estações. Não se desenvolveu nenhum sistema de réplica e as transmissões privadas são mantidas na clandestinidade. Essas se limitam ao mundo excêntrico dos amadores, que, ainda por cima, são organizados do alto. Qualquer traço de espontaneidade do público no âmbito da rádio oficial é guiado e absorvido, em uma seleção de tipo especial, por caçadores de talento, competições diante do microfone, manifestações domesticadas de todo o gênero. Os talentos pertencem à indústria muito antes que esta os apresente; ou não se adaptariam tão prontamente. A constituição do público, que teoricamente e de fato favorece o sistema da indústria cultural, faz parte do sistema e não o desculpa. Quando um ramo artístico procede segundo a receita de outro, sendo eles muito diferentes pelo conteúdo e pelos meios de expressão, quando o elo dramático da *soap opera* no rádio se transforma numa ilustração pedagógica do mundo por meio do qual se resolvem dificuldades técnicas, dominadas *jams* nos pontos culminantes da vida do *jazz*, ou quando a "adaptação" experimental de uma frase de Beethoven se faz segundo o mesmo esquema da de um romance de Tolstói em um filme, o recurso aos desejos espontâneos do público torna-se um pretexto inconsistente. Mais próxima da realidade é a explicação baseada no próprio peso, na força da inércia do aparato técnico e pessoal, que deve ser considerado, em cada detalhe, como parte integrante do mecanismo econômico de seleção. Junta-se a isso o acordo, ou, ao menos, a determinação comum aos chefes-executivos de não produzir ou admitir nada que não se assemelhe às suas tábuas da lei, ao seu conceito de consumidor, e, sobretudo, nada que se afaste de seu autorretrato.

Se a tendência social objetiva da época se encarna nas intenções subjetivas dos diretores gerais, são estes os que integram originalmente os setores mais poderosos da indústria: aço, petróleo, eletricidade, química. Os monopólios culturais são, em comparação com esses, débeis e dependentes. Eles devem se apressar em satisfazer os verdadeiros potentados, para que a sua esfera na sociedade de massa — cujo gênero particular de mercadoria ainda tem muito a ver com o liberalismo acolhedor e com os intelectuais judeus — não seja submetida a uma série de "limpezas". A dependência da mais poderosa sociedade radiofônica em relação à indústria elétrica, ou a do cinema aos bancos, define a esfera toda, cujos setores singulares são ainda, por sua vez, cointeressados e economicamente interdependentes. Tudo está tão estreitamente ligado que a concentração do espírito alcança um volume tal que lhe permite ultrapassar as fronteiras das várias firmas comerciais e setores técnicos. A unidade sem preconceitos da indústria cultural atesta a unidade em formação da política. Distinções enfáticas, como entre filmes de classe A e B, ou entre histórias em revistas de diferentes preços, não são tão fundadas na realidade, quanto, antes, servem para classificar e organizar os consumidores a fim de padronizá-los. Para todos alguma coisa é prevista, a fim de que nenhum possa escapar; as diferenças vêm cunhadas e difundidas artificialmente. O fato de oferecer ao público uma hierarquia de qualidades em série serve somente à quantificação mais completa, cada um deve se comportar, por assim dizer, espontaneamente, segundo o seu nível, determinado *a priori* por índices estatísticos, e dirigir-se à categoria de produtos de massa que foi preparada para o seu tipo. Reduzido a material estatístico, os consumidores são divididos, no mapa geográfico dos escritórios técnicos (que praticamente não se diferenciam mais dos de propaganda), em grupos de renda, em campos vermelhos, verdes e azuis.

O esquematismo do procedimento mostra-se no fato de que os produtos mecanicamente diferenciados revelam-se, no final das contas, como sempre os mesmos. A diferença entre a série Chrysler e a série General Motors é substancialmente ilusória, como sabem até mesmo as crianças "vidradas" por elas. As qualidades e as desvantagens discutidas pelos conhecedores servem apenas para manifestar uma aparência de concorrência e possibilidade de escolha. As coisas não caminham de modo diverso com as produções da Warner Brothers e da MGM. Porém, as diferenças se reduzem cada vez mais, mesmo entre os tipos mais caros e os mais baratos da coleção de modelos de uma mesma firma: nos automóveis, a variação no número de cilindros, no tamanho, na novidade dos *gadgets*; nos filmes, a diferença no número de astros, na fartura dos meios técnicos, mão de obra, figurinos e decorações, no emprego das mais recentes fórmulas psicológicas. A medida unitária do valor consiste na dose de *conspicuous production*, de investimento ostensivo. A diferença do valor orçado na indústria cultural não tem nada a ver com a diferença objetiva de valor, com o significado dos produtos. Mesmo os meios técnicos tendem a uma crescente uniformidade recíproca. A televisão tende a uma síntese do rádio e do cinema, retardada enquanto os interessados ainda não tenham negociado um acordo satisfatório, mas cujas possibilidades ilimitadas prometem intensificar a tal ponto o empobrecimento dos materiais estéticos que a identidade apenas ligeiramente mascarada de todos os produtos da indústria cultural já amanhã poderá triunfar abertamente. Seria ironicamente a realização do sonho wagneriano da "obra de arte total". O acordo entre palavra, música e imagem realiza-se mais perfeitamente que em *Tristão*, porque os elementos sensíveis — que protocolam sem pretensão a superfície da realidade social — são, na maioria dos casos, produzidos pelo mesmo processo técnico de trabalho, exprimindo tanto a sua unidade quanto o seu verdadeiro conteúdo. Esse processo de trabalho integra todos os elementos da produção, desde a trama do romance que já tem em mira o filme até o mínimo efeito sonoro. É o triunfo do capital investido. Imprimir com letras de fogo a sua onipotência — a do seu próprio patrão — no âmago de todos os miseráveis em busca de emprego, é o significado de todos os filmes, independentemente do enredo escolhido em cada caso pela direção de produção.

O trabalhador, durante seu tempo livre, deve se orientar pela unidade da produção. A tarefa que o esquematismo kantiano ainda atribuía aos sujeitos, a de, antecipadamente, referir a multiplicidade sensível aos conceitos fundamentais, é tomado do sujeito pela indústria. Esta realiza o esquematismo como um primeiro serviço ao cliente. Na alma agia, segundo Kant, um mecanismo secreto que já preparava os dados imediatos de modo que se adaptassem ao sistema da pura razão. Hoje, o enigma está revelado. Mesmo se a planificação do mecanismo por parte daqueles que manipulam os dados da indústria cultural seja imposta em virtude da própria força de uma sociedade que, não obstante toda racionalização, se mantém irracional, essa tendência fatal, passando pelas agências da indústria, transforma-se na intencionalidade astuta da própria indústria. Para o consumidor, não há mais nada a classificar que o esquematismo da produção já não tenha antecipadamente classificado. A arte sem sonho produzida para o povo realiza aquele idealismo sonhador que parecia exagerado ao idealismo crítico. Tudo advém da consciência: em Malebranche e em Berkeley era a consciência de Deus; na arte de massa, a da terrena diretoria de produção. Não só os tipos de música de dança, de astros e *soap operas*, retornam ciclicamente como entidades invariáveis, quanto o conteúdo particular do espetáculo, aquilo que aparentemente muda, é, por seu turno, derivado daqueles. Os pormenores tornaram-se fungíveis. A breve sucessão de intervalos que se mostrou eficaz em um sucesso musical, o vexame temporário do herói, por ele esportivamente aceito, os saudáveis tapas que a bela recebe da mão pesada do astro, sua rudeza com a herdeira viciada são, como todos os pormenores e clichês, salpicados aqui e ali, sendo cada vez subordinados à finalidade que o esquema lhes atribui. Estão ali para confirmar o esquema, ao mesmo tempo em que o compõem. Desde o começo é possível perceber como terminará um filme, quem será recompensado, punido ou esquecido; para não falar da música leve em que o ouvido acostumado consegue, desde os primeiros acordes, adivinhar a continuação, e sentir-se feliz quando ela ocorre. O número médio de palavras da *short--story* é aquele e não se pode mudar. Mesmo as *gags*, os efeitos e os compassos são calculados, assim como o quadro onde são montados. Ministrados por especialistas, sua escassa variedade é distribuída pelos escritórios. A indústria cultural se desenvolveu com a primazia dos efeitos, da performance tangível, do particular técnico sobre a obra, que outrora trazia a ideia e com essa foi liquidada. O particular, ao emancipar-se, tornara-se rebelde, e se erigira, desde o Romantismo até o Expressionismo, como expressão autônoma, como revolta contra a organização. O simples efeito harmônico tinha cancelado na música a consciência da totalidade formal; na pintura, a cor particular tornou-se mais importante que a composição do quadro; o vigor psicológico obliterou a arquitetura do romance. A tudo isso a indústria cultural pôs fim. Só reconhecendo os efeitos, ela despedaça a sua insubordinação e os sujeita à fórmula que tomou o lugar da obra. Molda da mesma maneira o todo e as partes. O todo se opõe — impiedosamente — aos pormenores, à semelhança da carreira de um homem de sucesso, para o qual tudo deve servir de ilustração e experiência, enquanto a própria carreira não passa da soma daqueles acontecimentos idiotas. Assim a chamada ideia geral é um mapa cadastral; cria uma ordem, mas nenhuma conexão. Privados de oposições e conexões, o todo e os pormenores têm os mesmos traços. A sua harmonia, de início garantida, é a paródia da harmonia conquistada pela obra-prima burguesa. Na Alemanha, a paz sepulcral da ditadura já estava presente nos filmes mais irrefletidos do período democrático.

O mundo inteiro é forçado a passar pelo crivo da indústria cultural. A velha experiência do espectador cinematográfico, para quem a rua lá de fora parece a continuação do espetáculo que acabou de ver — pois esse quer precisamente reproduzir de modo exato o mundo percebido cotidianamente — tornou-se o critério da produção. Quanto mais densa e integral a duplicação dos objetos empíricos por parte de suas técnicas, tanto mais fácil fazer crer que o mundo de fora é o simples prolongamento daquele que se acaba de ver no cinema. Desde a brusca introdução da trilha sonora o processo de reprodução mecânica passou inteiramente ao serviço desse desígnio. A vida não deve mais, tendencialmente, poder se distinguir do filme sonoro. Superando de longe o teatro ilusionista, o filme não deixa à fantasia e ao pensamento dos espectadores nenhuma dimensão na qual possam — sempre no âmbito da obra cinematográfica, mas desvinculados de seus dados puros — se mover e se ampliar por conta própria sem que percam o fio. Ao mesmo tempo, o filme exercita as próprias vítimas em identificá-lo com a realidade. A atrofia da imaginação e da espontaneidade do consumidor cultural de hoje não tem necessidade de ser explicada em termos psicológicos. Os próprios produtos, desde o mais típico, o filme sonoro, paralisam aquelas capacidades pela sua própria constituição objetiva. Eles são feitos de modo que a sua apreensão adequada exige, por um lado, rapidez de percepção, capacidade de observação e competência específica, e por outro é feita de modo a vetar, de fato, a atividade mental do espectador, se ele não quiser perder os fatos que rapidamente se desenrolam à sua frente. É uma tensão tão automática que não há sequer necessidade de ser atualizado a cada caso para que reprima a imaginação. Aquele que se mostra de tal forma absorvido pelo universo do filme — pelos gestos, imagens, palavras — a ponto de não ser capaz de lhe acrescentar aquilo que lhe tornaria um universo, não estará, necessariamente por isso, no ato da exibição, ocupado com os efeitos particulares da fita. Os outros filmes e produtos culturais, que necessariamente deve conhecer, tornam-lhe tão familiares as provas de atenção requeridas que estas se automatizam. A violência da sociedade industrial opera nos homens de uma vez por todas. Os produtos da indústria cultural podem estar certos de serem jovialmente consumidos, mesmo em estado de distração. Mas cada um desses é um modelo do gigantesco mecanismo econômico que desde o início mantém tudo sob pressão, tanto no trabalho quanto no lazer, que tanto se assemelha ao trabalho. De cada filme sonoro, de cada transmissão radiofônica, pode-se deduzir aquilo que não se poderia atribuir como efeito de cada um em particular, mas só de todos em conjunto na sociedade. Infalivelmente, cada manifestação particular da indústria cultural reproduz os homens como aquilo que foi já produzido por toda a indústria cultural. Todos os seus agentes, desde o produtor até as associações femininas, estão atentos para impedir que a simples reprodução do espírito não conduza à sua ampliação.

Os lamentos dos historiadores de arte e dos defensores da cultura sobre a extinção da força geradora de estilo no Ocidente são acanhadamente infundados. A tradução que a tudo estereotipa — inclusive o que ainda não foi pensado — no esquema da reprodutibilidade mecânica, supera em rigor e validade qualquer estilo verdadeiro, conceito com o qual os amigos da cultura idealizam — como orgânico — o passado pré-capitalista. Nenhum Palestrina saberia tirar a dissonância improvisada e irresoluta com o purismo com que um *arranjador* de *jazz* elimina qualquer cadência que não se enquadre perfeitamente em seu jargão. Quando adapta Mozart não se limita a modificá-lo no que é muito sério ou muito difícil, mas também no que harmonizava a melodia de modo diverso — e talvez mais simples do que se usa hoje. Nenhum construtor de igrejas da Idade Média teria analisado os temas dos vitrais e das esculturas com a mesma desconfiança com que a hierarquia dos estúdios cinematográficos examina um tema de Balzac ou de Victor Hugo antes de obter o *imprimatur*[2] que lhe permite a divulgação. Nenhum concílio teria indicado às carrancas diabólicas e às penas dos condenados o seu devido lugar na ordem do sumo amor com o mesmo escrúpulo com que a direção da produção o fixa para a tortura do herói ou para a minissaia da atriz principal, na lenga-lenga do filme de sucesso. O catálogo explícito e implícito, esotérico e exotérico, do proibido e do tolerado não se limita a circunscrever um setor livre, mas o domina e controla de cima a baixo. Até os mínimos detalhes são modelados segundo a sua receita. A indústria cultural, mediante suas proibições, fixa positivamente — como a sua antítese, a arte de vanguarda — uma linguagem sua, com uma sintaxe e um léxico próprios. A necessidade permanente de efeitos novos, que permanecem todavia ligados ao velho esquema, só faz acrescentar, como regra supletiva, a autoridade do que já foi transmitido, ao qual cada efeito particular desejaria esquivar-se. Tudo o que surge é submetido a um estigma tão profundo que, por fim, nada aparece que já não traga antecipadamente as marcas do jargão sabido, e não se demonstre, à primeira vista, aprovado e reconhecido. Mas os *matadores* — produtores ou reprodutores — são os que usam esse jargão com tanta facilidade, liberdade e alegria, como se fosse a língua que, há tempo, foi reduzida ao silêncio. É esse o ideal da naturalidade em cada ramo, que se afirma tanto mais imperiosamente quanto mais a técnica aperfeiçoada reduz a tensão entre a imagem e a vida cotidiana. Percebe-se o paradoxo da *routine*, disfarçada em natureza, em todas as manifestações da indústria cultural, e em muitas ela se deixa apalpar. Um jazzista que deve executar um trecho de música séria, o mais simples minueto de Beethoven, começa involuntariamente a sincopá-lo, e só com um sorriso de superioridade consente entrar no compasso certo. Essa *natura*, complicada pelas pressões sempre presentes e exageradas do *medium* específico, constitui o novo estilo, isto é, "um sistema de incultura ao qual se poderia conceder certa unidade estilística, enquanto ainda tem sentido falar em barbárie estilizada".[3]

A obrigatoriedade geral dessa estilização já supera a força das proibições e das prescrições oficiosas; hoje com mais facilidade se perdoa a um motivo não se ater aos trinta e dois compassos ou ao âmbito da nona, do que conter uma particularidade melódica ou harmônica estranha ao idioma, mesmo que seja o mais secreto idioma. Todas as violações do exercício da profissão cometidas por Orson Welles lhe são perdoadas porque — incorreções calculadas — só fazem confirmar e reforçar a validez do sistema. A obrigação do idioma tecnicamente condicionado que atores e diretores devem produzir como natureza, para que a nação dele se aproprie, refere-se a matrizes tão sutis a ponto de quase alcançar o refinamento dos meios de uma obra de vanguarda. A rara capacidade de sujeitar-se minuciosamente às exigências do idioma da simplicidade em todos os setores da indústria cultural torna-se o critério da habilidade e da competência. Tudo o que esses dizem e o modo como o dizem devem poder ser controlados pela linguagem cotidiana, como no positivismo lógico. Os produtores são os *experts*. O idioma exige uma força produtiva excepcional, que é inteiramente consumida e desperdiçada. Satânico, este superou a diferença — cara à teoria conservadora da cultura — entre estilo genuíno e artificial. Por artificial poderia ser definido um estilo que se impõe do exterior sobre os impulsos relutantes da figura. Mas, na indústria cultural, a matéria, até os seus últimos elementos, tem origem no mesmo aparato que produz o jargão no qual é introduzido. As brigas entre os "especialistas artísticos", o *sponsor* e o *censor* a propósito de uma mentira demasiado incrível, não revelam menos uma tensão entre valores estéticos do que uma divergência de interesses. O renome do especialista, no qual um último resto de autonomia objetiva às vezes encontra refúgio, entra em conflito com a política comercial da Igreja ou do truste que produz a mercadoria cultural. Mas em sua essência a coisa já está reificada como viável antes mesmo que se dê aquele conflito de hierarquias. Antes mesmo que Zanuck a adquirisse, Santa Bernadete brilhava no campo visual do seu poeta como uma propaganda para todos os consórcios interessados. Eis o que resta da emoção inerente à obra. E eis por que o estilo da indústria cultural, que não tem mais de se afirmar sobre a resistência do material, é, ao mesmo tempo, a negação do estilo. A conciliação do universal e do particular, regra e instância específica do objeto, por cuja única atuação o estilo adquire peso e substância, é sem valor porque já não se cumpre nenhuma tensão entre os dois polos extremos que se tocam: eles são traspassados por uma turva identidade, o universal pode substituir o particular e vice-versa.

Essa caricatura do estilo, contudo, diz alguma coisa sobre o estilo autêntico do passado. O conceito de estilo autêntico se desmascara, na indústria cultural, como o equivalente estético da dominação. A ideia do estilo como coerência puramente estética é uma fantasia retrospectiva dos românticos. Na unidade do estilo, não só do medievo cristão como também do Renascimento, manifesta-se a estrutura cada vez diferente do poder social em que o universal restava enclausurado, e não a obscura experiência dos dominados. Os grandes artistas nunca foram os que encarnaram o estilo no modo mais puro e perfeito, mas sim aqueles que acolheram na própria obra o estilo como rigor, a caminho da expressão caótica do sofrimento, o estilo como verdade negativa. No estilo das obras a expressão adquiria a força sem a qual a existência resta inaudível. Mesmo as obras que passam por clássicas, como a música de Mozart, contêm tendências objetivas que estão em contraste com o seu estilo.

Os grandes artistas, até Schönberg e Picasso, conservavam a desconfiança para com o estilo e — em tudo o que é decisivo — detiveram-se menos no estilo do que na lógica do objeto. Aquilo que os expressionistas e dadaístas afirmavam polemicamente, a falsidade do estilo como tal, hoje triunfa no jargão cantado do *crooner*, na esmerada graciosidade da estrela do cinema, por fim na magistral tomada fotográfica do barracão miserável do trabalhador rural. Em toda obra de arte, seu estilo é uma promessa. Enquanto o conteúdo, por meio do estilo, entra nas formas dominantes da universalidade, na linguagem musical, pictórica, verbal, deve reconciliar-se com a ideia da universalidade autêntica. Essa promessa da obra de arte de fundar a verdade pela inserção da figura nas formas socialmente transmitidas é ao mesmo tempo necessária e hipócrita. Ela coloca como absolutas as formas reais do existente, pretendendo antecipar seu cumprimento por meio dos derivados estéticos. Nesse sentido, a pretensão da arte é, de fato, sempre ideologia. Por outro lado, é só no confronto com a tradição depositada no estilo que a arte pode encontrar uma expressão para o sofrimento. O momento pelo qual a obra de arte transcende a realidade é, com efeito, inseparável do estilo, mas não consiste na harmonia realizada, na problemática unidade de forma e conteúdo, interno e externo, indivíduo e sociedade, mas sim nos traços em que aflora a discrepância na falência necessária da apaixonada tensão para com a identidade. Em vez de se expor a essa falência, na qual o estilo da grande obra de arte sempre se negou, a obra medíocre sempre se manteve à semelhança de outras pelo álibi da identidade. A indústria cultural finalmente absolutiza a imitação. Reduzida a puro estilo, trai o seu segredo: a obediência à hierarquia social. A barbárie estética realiza hoje a ameaça que pesa sobre as criações espirituais desde o dia em que foram colecionadas e neutralizadas como cultura. Falar de cultura foi sempre contra a cultura. O denominador "cultura" já contém, virtualmente, a tomada de posse, o enquadramento, a classificação que a cultura assume no reino da administração. Só a "administração" industrializada, radical e consequente, é plenamente adequada a esse conceito de cultura. Subordinando do mesmo modo todos os ramos da produção espiritual com o único fito de ocupar — desde a saída da fábrica à noite até sua chegada, na manhã seguinte, diante do relógio de ponto — os sentidos dos homens com os sinetes dos processos de trabalho, que eles próprios devem alimentar durante o dia, a indústria cultural, sarcasticamente, realiza o conceito de cultura orgânica, que os filósofos da personalidade opunham à massificação.

Assim a indústria cultural, o estilo mais inflexível de todos, revela-se justamente como a mera daquele liberalismo ao qual se censurava a falta de estilo. Não só as suas categorias e os seus conteúdos irrompem da esfera liberal, tanto do naturalismo domesticado como da opereta e do teatro de revista; os modernos trustes culturais são o lugar econômico em que continua, provisoriamente, a sobreviver, com os tipos correspondentes de empresários, uma parte da esfera tradicional da circulação, em vias de aniquilamento no restante da sociedade. Aqui, alguém ainda pode fazer fortuna, desde que não olhe muito reto diante de si, mas consinta em pactuar. Aquele que resiste só pode sobreviver integrando-se. Uma vez registrado em sua diferença pela indústria cultural, já faz parte desta, assim como a reforma agrária no capitalismo. A revolta que rende homenagem à realidade se torna a marca de fábrica de quem tem uma nova ideia para levar à indústria. A esfera pública da sociedade atual não deixa passar nenhuma acusação perceptível em cujo tom os auditivamente sensíveis já não advirtam a autoridade sob cujo signo o *révolté* com eles se reconcilia. Mais incomensurável torna-se o abismo entre o coro e o primeiro plano, e, com tanta maior certeza, aqui é posto aquele que saiba atestar a própria superioridade com uma originalidade bem organizada. Assim, mesmo na indústria cultural, sobrevive a tendência do liberalismo em deixar aberto o caminho para os capazes. Abrir caminho para esses virtuosos é ainda hoje a função do mercado, o qual, noutras esferas, já se mostra amplamente regulado: trata-se de uma liberdade que, já em seus bons tempos, tanto na arte quanto para os tolos em geral, era apenas a de morrer de fome. Não é por acaso que o sistema da indústria cultural surgiu nos países industriais mais liberais, nos quais triunfaram todos os seus meios característicos: o cinema, o rádio, *o jazz* e as revistas. É verdade que o seu desenvolvimento progressivo fluía necessariamente das leis gerais do capital. Gaumont e Pathé, Ullstein e Hugenberg tinham seguido com êxito a tendência internacional; o restante foi feito pela dependência econômica europeia em relação aos EUA, depois da Primeira Guerra Mundial, e pela inflação. Acreditar que a barbárie da indústria cultural seja uma consequência de um "cultural lag", do atraso da consciência americana quanto ao estado alcançado pela técnica, é pura ilusão. A Europa pré-fascista era arrasada com respeito à tendência ao monopólio cultural. Em virtude mesmo, porém, desse arraso, o espírito ainda era devedor de um resto de autonomia, assim como os últimos expoentes da sua existência, conquanto oprimida e difícil. Na Alemanha, a insuficiência do controle democrático sobre a vida civil havia tido efeitos paradoxais. Muito permanecia subtraído ao mecanismo do mercado, desencadeado nos países ocidentais. O sistema educativo alemão, inclusive a universidade, os teatros com função de guia no plano artístico, as grandes orquestras e os museus estavam sob proteção. Os poderes políticos, estados e comunas, que tinham recebido essas instituições como herança do absolutismo, haviam lhes deixado parte daquela independência das relações de força explícitas no mercado, a qual lhes fora concedida, apesar de tudo, até fins do século XIX, pelos príncipes e senhores feudais. Isso reforçou a posição da arte tardo-burguesa contra o veredito da demanda e da oferta e favoreceu a sua resistência muito além da proteção efetivamente concedida. Mesmo no mercado, a homenagem à qualidade, ainda não traduzível em valor corrente, se transformara em poder de compra. Por ela, dignos editores literários e musicais podiam se ocupar de autores que não rendiam muito mais que a estima dos especialistas. Só a obrigação de inserir-se continuamente, sob as mais graves ameaças, como *expert* estético na vida industrial, sujeitou definitivamente o artista. Há algum tempo eles assinavam suas cartas, como Kant e Hume, com a expressão "seu mais humilde servo", no entanto, minavam as bases do trono e do altar. Hoje chamam pelo nome os chefes de governo, e são submetidos, em todo impulso artístico, ao juízo dos seus governantes iletrados. A análise feita por Tocqueville há cem anos foi plenamente confirmada. Sob o monopólio privado da cultura sucede de fato que "a tirania deixa livre o corpo e investe diretamente sobre a alma". Aí, o patrão não diz mais: ou pensas como eu ou morres. Mas diz: és livre para não pensares como eu, a tua vida, os teus bens, tudo te será deixado, mas, a partir deste instante, és um intruso entre nós.[4] Quem não se adapta é massacrado pela impotência econômica que se prolonga na impotência espiritual do isolado. Excluído da indústria, é fácil convencê-lo de sua insuficiência. Enquanto agora, na produção material, o mecanismo da demanda e da oferta está em vias de dissolução, na superestrutura ele opera como controle em proveito dos patrões. Os consumidores são os operários e os empregados, fazendeiros e pequenos burgueses. A totalidade das instituições existentes os aprisiona de corpo e alma a ponto de sem resistência sucumbirem diante de tudo o que lhes é oferecido. E assim como a moral dos senhores era levada mais a sério pelos dominados do que pelos próprios senhores, assim também as massas enganadas de hoje são mais submissas ao mito do sucesso do que os próprios afortunados. Esses têm o que querem e exigem obstinadamente a ideologia com que se lhes serve. O funesto apego do povo ao mal que lhe é feito chega mesmo a antecipar a sabedoria das instâncias superiores e supera o rigorismo dos *Hays-Office*.[5] Assim como em grandes épocas animou e estimulou maiores poderes dirigidos contra eles: o terror dos tribunais. Eles sustêm Mickey Rooney contra a trágica Garbo e Pato Donald contra Betty Boop. A indústria adapta-se aos desejos por ela evocados. Aquilo que representa um passivo para a firma privada, que às vezes não pode desfrutar por completo o contrato com a atriz em declínio, é um custo razoável para o sistema em seu todo. Ratificando astutamente o pedido de refugos, ele estabelece a harmonia total. Senso crítico e competência são banidos como presunções de quem se crê superior aos outros, enquanto a cultura, democrática, reparte seus privilégios entre todos. Diante da trégua ideológica, o conformismo dos consumidores, assim como a imprudência da produção que esses mantêm em vida, adquire uma boa consciência. Ele se satisfaz com a reprodução do sempre-igual.

A mesmice também regula a relação com o passado. A novidade do estágio da cultura de massa em face do liberalismo tardio está na exclusão do novo. A máquina gira em torno do seu próprio eixo. Chegando ao ponto de determinar o consumo, afasta como risco inútil aquilo que ainda não foi experimentado. Os cineastas consideram com suspeita todo manuscrito atrás do qual não encontrem um tranquilizante *best-seller*. Mesmo por isso sempre se fala de ideia, novidade e surpresa, de alguma coisa que ao mesmo tempo seja plenamente familiar sem nunca ter existido. Para isso servem o ritmo e o dinamismo. Nada deve permanecer como era, tudo deve continuamente fluir, estar em movimento. Pois só o triunfo universal do ritmo de produção e de reprodução mecânica garante que nada mude, que nada surja que não possa ser enquadrado. Acréscimos ao inventário cultural já comprovado são perigosos e arriscados. Os tipos formais cristalizados, como as esquetes, os contos, os filmes de tese e os grandes sucessos da parada musical são a média que se tornou normativa do gosto tardo-liberal, ameaçadoramente imposta. Os chefes das empresas culturais — que estabelecem acordos só semelhantes aos que um *manager* faz com o seu conhecido de negócio ou de *college* — já há algum tempo sanaram e racionalizaram o espírito objetivo. É como se um poder onipresente houvesse examinado o material e estabelecido o catálogo oficial dos bens culturais que orna brevemente as séries disponíveis. As ideias estão inscritas no céu da cultura, onde já haviam sido numeradas, ou melhor, fixadas em um número imutável e trancafiadas por Platão.

O *amusement*, ou seja, a diversão, implícita em todos os elementos da indústria cultural, já existia muito antes dela. Agora é retomada pelo alto e colocada ao nível dos tempos. A indústria cultural pode se vangloriar de haver atuado com energia e de ter erigido em princípio a transposição — tantas vezes grosseira — da arte para a esfera do consumo, de haver liberado *a diversão* da sua ingenuidade mais desagradável e de haver melhorado a confecção das mercadorias. Quanto mais total ela se tornou, quanto mais impiedosamente obriga cada marginal à falência ou a entrar na corporação, tanto mais se fez astuciosa e respeitável. Eis sua glória: haver terminado por sintetizar Beethoven com o Cassino de Paris.

Seu triunfo é duplo: aquilo que expele para fora de si como verdade pode reproduzir a bel-prazer em si como mentira. A arte "leve" como tal, a distração, não é uma forma mórbida e degenerada. Quem a acusa de traição quanto ao ideal de pura expressão, se ilude quanto à sociedade. A pureza da arte burguesa, hipostasiada à condição de reino da liberdade em oposição à práxis material, desde o início foi paga pela exclusão da classe inferior, à causa da qual — a verdadeira universalidade — a arte permanece fiel, mesmo em virtude da liberdade dos fins da falsa universalidade. A arte séria foi negada àqueles a quem a necessidade e a pressão da existência tornam a seriedade uma farsa e que, necessariamente, se sentem felizes nas horas em que folgam da roda-viva. A arte "leve" acompanhou a arte autônoma como uma sombra. Ela representa a má consciência social da arte séria. O que esta, em verdade, devia perder, em virtude de suas condições sociais, confere à arte leve uma aparência de legitimidade. A verdade se encontra na própria cisão: que pelo menos exprime a negatividade da cultura a que as duas esferas, somando-se, dão lugar. Hoje mais do que nunca, a antítese deixa-se reconciliar, acolhendo a arte leve na séria e vice-versa. E justamente isso que a indústria cultural procura fazer. A excentricidade do circo, do *panopticum* e do bordel em face da sociedade causa a essa tanto cansaço quanto Schönberg e Karl Kraus. Assim o jazzista Benny Goodman faz-se acompanhar pelo quarteto de Budapeste, tocando com um ritmo mais pedante que um clarinetista de filarmônica, enquanto os membros do quarteto tocam, do mesmo modo macio e vertical e com a mesma doçura de Guy Lombardo. Característica não é a crassa incultura, a rudeza ou a estupidez. Ao se aperfeiçoar e ao extinguir o diletantismo, a indústria cultural liquidou os produtos mais grosseiros, embora continuamente cometa gafes oriundas da sua própria respeitabilidade. Mas a novidade consiste em que os elementos inconciliáveis da cultura, da arte e do divertimento sejam reduzidos a um falso denominador comum, a totalidade da indústria cultural. Esta consiste na repetição. Que as suas inovações típicas consistam sempre e tão somente em melhorar os processos de reprodução de massa não é de fato extrínseco ao sistema. Em virtude do interesse de inumeráveis consumidores, tudo é levado para a técnica, e não para os conteúdos rigidamente repetidos, intimamente esvaziados e já meio abandonados. O poder social adorado pelos espectadores exprime-se de modo mais válido na onipresença do estereótipo realizado e imposto pela técnica do que nas ideologias velhas e antiquadas, às quais os efêmeros conteúdos devem se ajustar.

Não obstante, a indústria cultural permanece a indústria do divertimento. O seu poder sobre os consumidores é mediado pela diversão que, afinal, é eliminada não por um mero *diktat*, mas sim pela hostilidade, inerente ao próprio princípio do divertimento, diante de tudo que poderia ser mais do que divertimento. Uma vez que a encarnação de todas as tendências da indústria cultural na carne e no sangue do público se faz mediante o processo social inteiro, a sobrevivência do mercado, nesse setor, opera no sentido de intensificar aquelas tendências. A interrogação ainda não é substituída pela pura obediência. Tanto isso é verdade que a grande reorganização do cinema às vésperas da Primeira Guerra Mundial, premissa material da sua expansão, foi, de fato, uma adequação consciente às necessidades do público controladas pelas cifras de bilheteria, coisa que, no tempo dos pioneiros do cinema, nem sequer se pensava levar em conta. Assim parece até hoje aos magnatas do cinema, que se baseiam no mesmo princípio, e nos sucessos mais ou menos fenomenais, e não no princípio contrário, o da verdade. Sua ideologia são os negócios. A verdade é que a força da indústria cultural reside em seu acordo com as necessidades criadas e não no simples contraste quanto a essas, seja mesmo o contraste formado pela onipotência em face da impotência.

A diversão é o prolongamento do trabalho sob o capitalismo tardio. Ela é procurada pelos que querem se subtrair aos processos de trabalho mecanizado, para que estejam de novo em condições de enfrentá-lo. Mas, ao mesmo tempo, a mecanização adquiriu tanto poder sobre o homem em seu tempo de lazer e sobre sua felicidade, determinada integralmente pela fabricação dos produtos de divertimento, que ele apenas pode captar as cópias e as reproduções do próprio processo de trabalho. O pretenso conteúdo é só uma pálida fachada; aquilo que se imprime é a sucessão automática de operações reguladas. Do processo de trabalho na fábrica e no escritório só se pode fugir adequando-se a ele mesmo no ócio. Disso sofre incuravelmente toda diversão. O prazer congela-se no enfado, pois que, para permanecer prazer, não deve exigir esforço algum, daí que deva caminhar estreitamente no âmbito das associações habituais. O espectador não deve trabalhar com a própria cabeça; o produto prescreve toda e qualquer reação: não pelo seu contexto objetivo — que desaparece tão logo se dirige à faculdade pensante — mas por meio de sinais. Toda conexão lógica que exija alento intelectual é escrupulosamente evitada. Os desenvolvimentos devem irromper em qualquer parte possível da situação precedente, e não da ideia do todo. Não há enredo que resista ao zelo dos colaboradores em retirar de cada cena tudo aquilo que ela pode dar. Em suma, até o esquema pode parecer perigoso, à medida que tenha constituído mesmo um pobre contexto significativo, pois só é aceita a ausência de significado. Com frequência, chega a ser refutada a própria continuação dos personagens e da narrativa prevista pelo esquema original. Em seu lugar, como passo imediatamente posterior, é adotada a ideia aparentemente mais eficaz que os roteiristas encontram para cada situação. Uma surpresa estupidamente imaginada irrompe no acontecimento cinematográfico. A tendência do produto de voltar, malignamente, ao puro absurdo, de que participavam com legitimidade a arte popular, a farsa e a comédia até Chaplin e os irmãos Marx, aparece de modo mais evidente nos gêneros menos elaborados. Enquanto os filmes de Greer Garson e Bette Davis desenvolvem a partir da unidade do caso psicossocial algo pretensamente coerente, aquela tendência se impôs plenamente no texto do *novelty song*, nos filmes de mistério e nos desenhos animados. A própria ideia é, como os objetos do cômico e do horrível, dilacerada e feita em pedaços. Os *novelty songs* sempre viveram do desprezo pelo significado que — precursores e sucessores da psicanálise — confinam à esfera indistinta do simbolismo sexual. Nos filmes policiais e de aventura atuais não mais se concede ao espectador assistir à progressiva descoberta. Deve contentar-se, mesmo nas produções sérias do gênero, com o *frisson* de situações quase sem nexo interno.

Os desenhos animados eram outrora expoentes da fantasia contra o racionalismo. Faziam justiça aos animais e às coisas eletrizadas pela sua técnica, pois, embora os mutilando, lhes conferiam uma segunda vida. Agora não fazem mais que confirmar a vitória da razão tecnológica sobre a verdade. Há alguns anos apresentavam ações coerentes que só se resolviam nos últimos instantes no ritmo desenfreado das sequências finais. O seu desenvolvimento muito se assemelhava ao velho esquema da *slapstick comedy* [comédia pastelão]. Mas agora as relações de tempo foram deslocadas. Desde a primeira sequência do desenho animado é anunciado o motivo da ação, com base no qual, durante o seu curso, possa exercitar-se a destruição: no meio dos aplausos do público, o protagonista é atirado por todas as partes como um trapo. Assim a quantidade de divertimento converte-se na qualidade da crueldade organizada. Os autodesignados censores da indústria cinematográfica, ligados a essa por uma afinidade eletiva, velam para que a duração do delito prolongado seja um espetáculo divertido. A hilaridade trunca o prazer que poderia resultar, em aparência, da visão do abraço, e transfere a satisfação para o dia do *pogrom*. Se os desenhos animados têm outro efeito além de habituar os sentidos a um novo ritmo, é o de martelar em todos os cérebros a antiga verdade de que o mau trato contínuo, o esfacelamento de toda resistência individual, é a condição da vida nesta sociedade. Pato Donald mostra nos desenhos animados como os infelizes são espancados na realidade, para que os espectadores se habituem com o procedimento.

O prazer da violência contra o personagem transforma-se em violência contra o espectador, o divertimento converte-se em tensão. Ao olho cansado nada deve escapar do que os especialistas puseram como estimulante, não nos devemos espantar diante da finura da representação, havemos sempre de acompanhar e, por conta própria, mostrar aquela presteza que a cena expõe e recomenda. Assim sendo é, pelo menos, duvidoso que a indústria cultural preencha mesmo a tarefa de diversão de que abertamente se vangloria. Se a maior parte do rádio e do cinema emudecesse, com toda probabilidade os consumidores não sentiriam muito sua falta. A passagem da rua para o cinema já não conduz ao sonho, e se as instituições, por um certo período, não mais obrigassem a própria presença do espectador, o impulso para utilizá-lo não seria muito forte.[6] Tal fechamento não se confundiria com um reacionário "assalto às máquinas". Desiludidos não ficariam tanto os fanáticos quanto os que, de resto, ali se perdem, isto é, os vencidos. Para a dona de casa a obscuridade do cinema, não obstante os filmes visarem posteriormente a integrá-la, representa um refúgio em que pode estar sentada por duas horas em paz, como outrora, quando ainda havia noites de festa, ela apreciava o mundo além das janelas. Os desocupados das metrópoles encontram um clima ameno no verão e calor no inverno nas salas de temperatura regulada. Por outro lado, mesmo ao nível do existente, o sistema inflado pela indústria dos divertimentos não torna, de fato, mais humana a vida para os homens. A ideia de "exaurir" as possibilidades técnicas dadas, de utilizar plenamente as capacidades existentes para o consumo estético da massa, faz parte do sistema econômico que se recusa a utilizar suas capacidades quando se trata de eliminar a fome.

A indústria cultural continuamente priva seus consumidores do que continuamente lhes promete. O assalto ao prazer que ação e apresentação emitem é indefinidamente prorrogado: a promessa a que, na realidade, o espetáculo se reduz malignamente significa que não se chega ao *quid*, que o hóspede há de se contentar com a leitura do menu. Ao desejo suscitado por todos os nomes e imagens esplêndidos serve-se, em suma, apenas o elogio da opaca rotina da qual se queria escapar. Mesmo as obras de arte não consistiam em exibições sexuais. Mas representando a privação como algo negativo, evocavam, por assim dizer, a humilhação do instinto e salvavam, como algo mediatizado, aquilo que havia sido negado. Esse é o segredo da sublimação estética: representar a satisfação na sua própria negação. A indústria cultural não sublima, mas reprime e sufoca. Expondo continuamente o objeto do desejo, o seio no suéter e o peito nu do herói esportivo, ela apenas excita o prazer preliminar não sublimado, que, pelo hábito da privação, há muito tempo se tornou puramente masoquista. Não há situação erótica que não una à alusão e ao excitamento a advertência precisa de que não se deve e não se pode chegar a este ponto. O *Hays-Office* apenas confirma o ritual que a indústria cultural já por si mesma estabeleceu: o ritual de Tântalo. As obras de arte são ascéticas e sem pudor; a indústria cultural é pornográfica e pudica. Ela assim reduz o amor à fumaça. E dessa forma muita coisa passa, inclusive a libertinagem como especialidade corrente em pequenas doses e com a etiqueta *daring* [ousado]. A produção em série do sexo realiza automaticamente a sua repressão. O astro por quem se deverá apaixonar é, *a priori,* na sua ubiquidade, a cópia de si mesmo. Toda voz de tenor soa exatamente como um disco de Caruso, e os rostos das garotas do Texas naturalmente se assemelham aos modelos segundo os quais seriam classificadas em Hollywood. A reprodução mecânica do belo, que a exaltação reacionária da "cultura", com a sua idolatria sistemática da individualidade, favorece tanto mais fatalmente, não deixa nenhum lugar para a idolatria inconsciente a que o belo estava ligado. O triunfo sobre o belo é realizado pelo *humor,* pelo prazer que se sente diante das privações bem-sucedidas. Ri-se do fato que não há nada para se rir. O riso, sereno ou terrível, assinala sempre um momento em que desaparece um temor. Anuncia a liberação, seja do perigo físico, seja das malhas da lógica. O riso reconciliado ressoa como o eco de uma fuga do poder, enquanto o riso ruim vence o medo enfileirando-se com as instâncias que teme. É o eco do poder como força inelutável. O *fim* é um banho medicinal. A indústria dos divertimentos continuamente o receita. Nela, o riso torna-se um instrumento de uma fraude sobre a felicidade. Os momentos de felicidade não o conhecem; só as operetas e, depois, os filmes apresentam o sexo entre gargalhadas.

Mas em Baudelaire inexiste o *humor*, assim como em Hölderlin. Na falsa sociedade, o riso golpeou a felicidade como uma doença, arrastando-a na sua totalidade insignificante. Rir de alguma coisa é sempre escarnecer; a vida que, segundo Bergson, rompe a crosta endurecida passa a ser, na realidade, a irrupção da barbárie, a afirmação de si que, numa ocasião social, celebra a sua liberação de qualquer escrúpulo. A coletividade dos que riem é a paródia da humanidade. São mônadas, cada uma das quais entregue à volúpia de estar disposta a tudo, às expensas dos outros e com a maioria atrás de si. Nesta harmonia, elas fornecem a caricatura da solidariedade. O diabólico do falso riso consiste em que esse consegue parodiar vitoriosamente até o melhor: a conciliação. Mas o prazer é severo: *res severa verum gaudium*. A ideologia dos conventos — não é a ascese, mas é o ato sexual que implica a renúncia à beatitude acessível — é negativamente confirmada pela seriedade do amante que, cheio de pressentimento obscuro, dedica sua vida ao instante passageiro. A indústria cultural coloca a renúncia alegre em lugar da dor, que é presente tanto no orgasmo como na ascese. Lei suprema é que nunca se chegue ao que se deseja e que disso até se deve rir com satisfação. Em cada espetáculo da indústria cultural, a frustração permanente que a civilização impõe é, inequivocamente, outra vez imposta. Oferecer-lhes uma coisa e, ao mesmo tempo, privá-los dela é processo idêntico e simultâneo. Esse é o efeito de todo aparato erótico. Tudo gira em torno do coito, justamente porque esse não pode acontecer. Admitir em um filme a relação ilegítima sem que os culpados incorram no justo castigo é ainda mais severamente vetado do que, por exemplo, o futuro genro do milionário ser um ativista no movimento operário. Em contraste com a era liberal, a cultura industrializada, assim como a fascista, pode parecer que desenha os conflitos do capitalismo: mas não pode parecer que renuncia à ameaça de castração. Essa constitui toda a sua essência. Ela sobrevive ao alinhamento organizado dos costumes, nos choques dos homens divididos, nos alegres filmes por eles produzidos, sobrevive, por fim, na realidade. Hoje, decisivo não é mais o puritanismo, embora ele continue a se fazer valer por intermédio das associações femininas, mas a necessidade intrínseca ao sistema de não largar o consumidor, de não lhe dar a sensação de que é possível opor resistência. O princípio básico consiste em lhe apresentar tanto as necessidades como tais, que podem ser satisfeitas pela indústria cultural, quanto por outro lado organizar antecipadamente essas necessidades de modo que o consumidor a elas se prenda, sempre e apenas como eterno consumidor, como objeto da indústria cultural. Essa não apenas lhe inculca que no engano se encontra a sua realização, como ainda lhe faz compreender que, de qualquer modo, se deve contentar com o que é oferecido. A fuga da vida cotidiana, prometida por todos os ramos da indústria cultural, é como o rapto da filha na revista estadunidense de humorismo: o próprio pai se encarrega de deixar a escada no escuro. A indústria cultural fornece como paraíso a mesma vida cotidiana. Tanto o *escape* quanto o *elopement* são determinados, *a priori,* como os meios de recondução ao ponto de partida. O divertimento promove a resignação que nele procura se esquecer.

A *diversão,* totalmente desenfreada, não seria apenas a antítese da arte, mas também o extremo que a toca. O absurdo à maneira de Mark Twain, com o qual às vezes namora a indústria cultural americana, poderia ser um corretivo da arte, quanto mais essa leva a sério as contradições da realidade, tanto mais vai se assemelhar à seriedade da existência, seu oposto: quanto mais se esforça em se desenvolver puramente a partir de sua própria lei formal, tanto maior o esforço de compreensão que ela exige: e isso quando a sua finalidade era exatamente negar o peso do esforço. Em muitos musicais, mas sobretudo nas farsas e nos *funnies,* vislumbra-se em certos instantes a própria possibilidade dessa negação; mas não é lícito alcançar sua realização. A lógica do divertimento puro, o abandono irrefletido às associações variadas e ao absurdo feliz, é excluída do divertimento corrente: pois que é prejudicada pela introdução substitutiva de um significado coerente que a indústria cultural se obstina em estabelecer para suas produções, enquanto, por outro lado, na verdade ela trata aquele significado como um simples pretexto para que os astros se mostrem. Ocorrências biográficas e semelhantes alinham as peças do absurdo em uma história idiota, onde já não soam os guizos do bufão, mas sim o molho de chaves da razão capitalista, que até nas imagens subordina o prazer aos fins do progresso. Cada beijo no filme-revista deve contribuir para o êxito do pugilista ou do cantor de quem se exalta a carreira. A mistificação não está, portanto, no fato de a indústria cultural manipular as distrações, mas sim em que ela estraga o prazer, permanecendo voluntariamente ligada aos clichês ideológicos da cultura em vias de liquidação. Ética e bom gosto vetam como "ingênuo" a diversão descontrolada — a ingenuidade não é menos mal vista que o intelectualismo — e limita, por fim, as capacidades técnicas. A indústria cultural é corrompida não como Babel pelo pecado, mas sim como templo do prazer elevado. Em todos os seus níveis, de Hemingway a Emil Ludwig, da *Rosa de esperança* a *As aventuras de Zorro, o cavaleiro solitário*, de Toscanini a Guy Lombardo, a mentira é inerente a um espírito que a indústria cultural já recebe confeccionado pela arte e pela ciência. Ela retém uma imagem do melhor nos traços que a aproximam do circo, na bravura obstinadamente insensata de cavalariças acrobatas e palhaços, na "defesa e justificação da arte física em confronto com a arte espiritual".[7] Mas os últimos refúgios desse virtuosismo sem substância, que despersonaliza o humano contra o mecanismo social, são impiedosamente polidos por uma razão planificadora que constrange tudo a declarar sua própria função e seu próprio significado. Ela ataca em dois planos: em baixo elimina o que não tem sentido, em cima, o sentido das obras de arte.

A fusão atual da cultura e do entretenimento não se realiza apenas como depravação daquela, mas sim como espiritualização forçada desse. É o que se vê já pelo fato de a diversão ser apresentada apenas como reprodução; cinefotografia ou audição de rádio. Na época da expansão liberal, o *amusement* alimentava-se da fé intacta no futuro: as coisas assim permaneceriam e ainda se tornariam melhores. Hoje a fé volta a se espiritualizar; torna-se tão sutil a ponto de perder de vista toda e qualquer meta e de reduzir-se ao fundo dourado que se projeta por detrás da realidade. Essa se compõe das inflexões de valor com que, no espetáculo, e em perfeito acordo com a própria vida, são outra vez investidos o tipo bacana, o engenheiro, a moça dinâmica, a falta de escrúpulos disfarçada em força de caráter, os interesses esportivos e enfim os automóveis e os cigarros. Assim acontece mesmo quando o espetáculo não depende da publicidade das firmas imediatamente interessadas. É o próprio sistema que assim determina. Mesmo a diversão se alinha entre os ideais, toma o lugar dos bens superiores, pondo-se de frente para as massas às quais repete de forma ainda mais estereotipada as frases publicitárias pagas pelos particulares. A inferioridade, a forma subjetivamente limitada da verdade, sempre foi, mais do que se imagina, sujeita aos padrões externos. A indústria cultural a reduz à mentira patente. Escuta-se somente como retórica aceita a modo de acréscimo penosamente agradável, nos *best-sellers* religiosos, nos filmes psicológicos e nos *women serials*. Tal se dá para que ela possa dominar com maior segurança, na vida, os próprios impulsos humanos. Nesse sentido, a diversão realiza a purificação das paixões, a catarse que já Aristóteles atribuía à tragédia e Mortimer Adler atribui, de fato, aos filmes. Assim como no estilo, a indústria cultural descobre a verdade mesmo na catarse.

Quanto mais sólidas se tornam as posições da indústria cultural, tanto mais brutalmente esta pode agir sobre as necessidades dos consumidores, produzi-las, guiá-las e discipliná-las, retirar-lhes até o divertimento. Aqui não se coloca limite algum ao progresso cultural. Mas essa tendência é imanente ao próprio princípio — burguês e iluminista — da diversão. Se a necessidade de *amusement* foi, em larga escala produzida pela indústria, que fazia a publicidade da obra a partir de seu autor, e confundia a oleografia com a gulodice representada e vice-versa, o pudim em pó com a reprodução do pudim, pode-se então sempre constatar, na diversão, a manipulação comercial, o *sales talk*, a voz do camelô. Mas a afinidade originária de negócio e divertimento aparece no próprio significado deste: a apologia da sociedade. Divertir-se significa estar de acordo. A diversão é possível apenas enquanto se isola e se afasta a totalidade do processo social, enquanto se renuncia absurdamente desde o início à pretensão inelutável de toda obra, mesmo da mais insignificante: a de, em sua limitação, refletir o todo. Divertir-se significa que não devemos pensar, que devemos esquecer a dor, mesmo onde ela se mostra. Na base do divertimento planta-se a impotência. É, de fato, fuga, mas não, como pretende, fuga da realidade perversa, mas sim do último grão de resistência que a realidade ainda pode haver deixado. A libertação prometida pelo entretenimento é a do pensamento como negação. A impudência da pergunta retórica: "O que é que a gente quer?" consiste em se dirigir às pessoas fingindo tratá-las como sujeitos pensantes, quando seu fito, na verdade, é o de desabituá-las ao contato com a subjetividade. Se algumas vezes o público recalcitra contra a indústria do divertimento, trata-se apenas da passividade — que se tomou coerente — para a qual ela o educou. Isso não obstante o entretenimento se tornar cada vez mais difícil. A estupidez progressiva deve manter o passo com o progresso da inteligência. Na época da estatística as massas são tão ingênuas que chegam a se identificar com o milionário no filme, e tão obtusas que não se permitem o mínimo desvio da lei dos grandes números. A ideologia se esconde atrás do cálculo das probabilidades. A fortuna não virá para todos, apenas para algum felizardo, ou antes aos que um poder superior designa — poder que, com frequência é a própria indústria do entretenimento, descrita como na eterna procura de seus eleitos. Os personagens descobertos pelos caçadores de talento, e depois lançados pelo estúdio cinematográfico, são tipos ideais da nova classe média dependente. A *starlet* deve simbolizar a empregada, mas de modo que para ela, à diferença da verdadeira, o *manteau* parece feito sob medida. Ela assim não se limita a fixar, para a espectadora, a possibilidade de que mesmo ela apareça no filme, porém, com nitidez ainda maior, a distância que a separa disso. Apenas uma terá a grande chance, somente um será famoso, e mesmo se todos, matematicamente, têm a mesma probabilidade, todavia, para cada um, esta é tão mínima, que ele fará melhor em esquecê-la de imediato e em se alegrar com a fortuna do outro, que muito bem poderia ter sido ele próprio e que, no entanto, nunca será. Ao mesmo tempo que a indústria cultural convida a uma identificação ingênua, logo e prontamente ela é desmentida. A ninguém mais é lícito esquecê-lo. Anteriormente, o espectador do filme via as próprias bodas nas bodas do outro. Agora os felizes no filme são exemplares pertencentes à mesma espécie de cada um que forma o público, mas nesta igualdade é colocada a insuperável separação dos elementos humanos. A perfeita semelhança é a absoluta diferença. A identidade da espécie proíbe a dos casos. A indústria cultural perfidamente realizou o homem como ser genérico. Cada um é apenas aquilo que qualquer outro pode substituir: coisa fungível, um exemplar. Ele mesmo como indivíduo é absolutamente substituível, o puro nada, e é isso que começa a experimentar quando, com o tempo, termina por perder a semelhança. Assim se modifica a íntima estrutura da religião do sucesso, a que, por outro lado, estritamente se prende. Em lugar da via *per aspera ad astra*, que implica dificuldade e esforço, cada vez mais penetra a ideia de prêmio. O elemento de cegueira que envolve as decisões ordinárias acerca da canção que se tornará célebre, ou acerca da atriz adequada para o papel da heroína, é exaltado pela ideologia. Os filmes sublinham o caso. Exigindo a semelhança essencial dos seus personagens, com a exceção do mau, até à exclusão das fisionomias relutantes (como aquelas que, a exemplo de Greta Garbo, não têm o jeito de se deixar interpelar com um "*hello sister*"), o cinema por meio desse procedimento parece tornar a vida mais fácil aos espectadores. A esses é assegurado não ser necessário diferenciar-se daquilo que são, e que poderão ter o mesmo sucesso, sem que deles se pretenda aquilo de que se sabem incapazes. Mas, ao mesmo tempo, faz-se com que compreendam que mesmo o esforço não serviria de nada, pois a própria fortuna burguesa não mais tem nenhuma relação com o efeito calculável do seu trabalho. E a massa engole o engodo. No fundo todos reconhecem o acaso em que alguém faz fortuna como sendo o outro lado da planificação. Mesmo porque as forças da sociedade já atingiram tal grau de racionalidade que todos poderiam fazer o papel do engenheiro ou do empresário, torna-se irracional e imotivado que a sociedade invista na preparação ou na confiança necessária para o cumprimento destas funções. Acaso e planificação tornam-se idênticos, pois em face da igualdade dos homens, a sorte ou o azar de um único, até às posições mais elevadas, perdeu qualquer significado econômico. O próprio acaso chega a ser planificado: não porque atinge este ou aquele indivíduo, mas justamente porque se crê no seu governo. Isso funciona como álibi para os planificadores e suscita a aparência que a rede de transações e de medidas em que a vida foi transformada ainda deixa lugar a relações espontâneas e imediatas entre as pessoas. Esse tipo de liberdade é simbolizado, nos vários ramos da indústria cultural, pela seleção arbitrária de heróis e ocorrências médias. Nas informações esmiuçadas trazidas pela revista sobre a carreira modesta mas esplêndida — organizada pela própria revista — da vencedora afortunada (por sinal uma datilografa que talvez tenha vencido o concurso graças às relações com magnatas locais) espelha-se a impotência de todos. A tal ponto as pessoas são reduzidas a meras coisas que aqueles que delas dispõem podem colocá-las por um instante no céu para logo em seguida jogá-las no lixo; e que vão para o diabo com seus direitos e o seu trabalho. A indústria se interessa pelos homens apenas como pelos próprios clientes e empregados, e reduziu, efetivamente, a humanidade no seu conjunto, como cada um dos seus elementos, a esta forma exaustiva. Segundo o ângulo determinante, é sublinhado, na ideologia, o plano ou o fenômeno, a técnica ou a vida, a civilização ou a natureza. Como empregados são chamados à organização racional e pressionados a inserir-se com sadio bom senso. Como clientes veem a si mesmos como ilustração, na tela ou nos jornais, em episódios humanos e privados da liberdade de escolha e como atração do que ainda não está enquadrado. Em qualquer dos casos permanecem objetos.

Quanto menos a indústria cultural tem a prometer, quanto menos está em grau de mostrar que a vida é cheia de sentido, tanto mais pobre se torna, por força das coisas, a ideologia por ela difundida. Mesmo os ideais abstratos de harmonia e bondade da sociedade são, na época da publicidade universal, concretos demais. Mesmo os ideais abstratos apressam-se em ser identificados como publicidade. O discurso que apenas busca a verdade logo suscita a impaciência de que chegue com rapidez ao fim comercial que se supõe perseguir na ação prática. A palavra que não é meio aparece privada de sentido, a outra como ficção e mentira. Escutamos os juízos de valor como propaganda ou tagarelice inútil. Mas a ideologia assim constrangida a manter-se como um discurso vago não se torna por isso mais transparente, nem tampouco mais débil. Mesmo sua generalidade, a recusa quase científica de empenhar-se sobre qualquer coisa de inverificável, funciona como instrumento de domínio. Pois ela se torna a decidida e sistemática proclamação do que é. A indústria cultural tem a tendência de se converter em um conjunto de protocolos, e, por essa mesma razão, de se tornar o irrefutável profeta do existente. Entre a alternativa representada pela falsa notícia individualizada e pela verdade manifesta, ela sai pela tangente, habilmente repetindo este e aquele fenômeno, opondo sua capacidade ao conhecimento e erigindo a ideal o próprio fenômeno em sua continuidade onipresente. A ideologia cinde-se entre a fotografia da realidade bruta e a pura mentira do seu significado, que não é formulada explicitamente, mas sugerida e inculcada. Pela demonstração de sua divindade, o real é sempre e apenas cinicamente repetido. Essa prova fotológica não é precisa, mas é esmagadora.

Quem ainda duvida do poder da monotonia é um imbecil. A indústria cultural, por outro lado, tem boas saídas para repelir as objeções feitas contra ela como as contra o mundo que ela duplica sem teses preconcebidas. A única escolha é colaborar ou se marginalizar: os provincianos que, contra o cinema e o rádio, recorrem à eterna beleza ou ao teatro amador, já estão politicamente no posto para o qual a cultura de massa ainda empurra os seus. Ela está suficientemente acondicionada para parodiar ou para desfrutar como ideologia, segundo o caso, mesmo os velhos sonhos de outrora, tanto os do pai quanto os do sentimento espontâneo. A nova ideologia tem por objeto o mundo como tal. Ela usa o culto do fato, limitando-se a suspender a má realidade, mediante a representação mais exata possível, no reino dos fatos. Nessa transposição, a própria realidade se torna um sucedâneo do sentido e do direito. Belo é tudo o que a câmera reproduz. À perspectiva frustrada de poder ser a empregada a quem toca, por sorte, o cruzeiro transoceânico, corresponde a vista frustrada dos países exatamente fotografados pelos quais a viagem poderia levar. Não é a Itália que se oferece, mas a prova visível de sua existência. O filme pode até mostrar Paris, onde a jovem americana pensa realizar seus sonhos na mais completa desolação, para, tanto mais inexoravelmente, empurrá-la nos braços do jovem astuto compatriota que poderia ter conhecido em seu país. Que tudo em geral funcione, que o sistema, mesmo na sua última fase, continue a reproduzir a vida dos que o formam, em vez de eliminá-los, de súbito é-lhe creditado como mérito e significado. Continuar "ir levando" em geral se torna a justificação da cega permanência do sistema, ou melhor, da sua imutabilidade. Sadio é o que se repete, o ciclo na natureza e na indústria. O eterno sorriso dos mesmos bebês das revistas coloridas, o eterno funcionar da máquina do *jazz*. Não obstante os progressos da técnica de reprodução, das regras e das especialidades, não obstante a pressa agitada, o alimento que a indústria cultural oferece aos homens permanece como a pedra da estereotipia. Ela vive do ciclo, da maravilha justificada que as mães, apesar de tudo, continuem a parir, que as rodas continuem a girar.

Isso serve para reforçar a imutabilidade das relações. As espigas ondulantes no fim do *Ditador* de Chaplin desmentem a arenga antifascista pela liberdade. Assemelham-se à loura esvoaçante que a Universum Film AG (Ufa) fotografa na vida campestre, ao vento do estio. A natureza, em virtude mesmo de o mecanismo social de domínio tomá-la como a antítese salutar da sociedade, é absorvida e enquadrada na sociedade sem cura. A segurança visível que as árvores são verdes, azul o céu e passageiras as nuvens serve de criptograma das fábricas e dos postos de gasolina. Vice-versa, rodas e partes mecânicas devem brilhar alusivamente, degradadas a situação de expoente dessa alma vegetal e etérea. Natureza e técnica são assim mobilizadas contra o bolor, contra a imagem falseada na lembrança da sociedade liberal, na qual, ao que parece, se vivia em torno de aposentos mornos e felpudos, em vez de se praticar, como hoje se faz, um sadio e assexuado naturalismo, ou em que nos arrastávamos em Mercedes-Benz antediluvianos em vez de, na velocidade de um raio, passar-se do ponto onde se estava a um outro, que é o mesmo. O triunfo do truste colossal sobre a livre-iniciativa é celebrado pela indústria cultural como a eternidade da livre-iniciativa. Combate-se o inimigo já batido, o sujeito pensante. A ressurreição do antifilisteu Hans Sommenstösser na Alemanha e o prazer deixado pelo *Life with Father*[8] são da mesma marca.

Uma coisa é certa: a ideologia vazia de conteúdo não brinca em serviço quando se trata da previdência social. "Ninguém terá frio ou fome, quem o fizer vai acabar num campo de concentração", esta regra proveniente da Alemanha hitlerista poderia brilhar como dístico de todos os portais da indústria cultural. Ela pressupõe, com astuta ingenuidade, o estado que caracteriza a sociedade mais recente: que ela sabe dobrar muito bem os seus. A liberdade formal de cada um é garantida. Ninguém deve dar conta oficialmente do que pensa. Em troca, todos são encerrados, do começo ao fim, em um sistema de instituições e relações que formam um instrumento hipersensível de controle social. Quem não quiser soçobrar deve não se mostrar muito leve na balança do sistema. De outro modo, perde terreno na vida e termina por afundar. O fato de que em cada carreira, mas sobretudo nas profissões liberais, o conhecimento do ramo esteja geralmente ligado a uma atitude conformista pode criar a ilusão de que esse seja o mero resultado de um conhecimento específico. Na realidade, faz parte da planificação irracional desta sociedade que ela, bem ou mal, apenas reproduza a vida de seus fiéis. A escala do teor de vida corresponde exatamente ao elo íntimo das castas e dos indivíduos com o sistema. No *manager* se pode confiar, mesmo o pequeno empregado, *Dagwood*,[9] disso está seguro, a exemplo do que acontece tanto nas páginas humorísticas quanto na realidade. Quem tem frio ou fome, mesmo se alguma vez teve boas perspectivas, está marcado. Ele é um *outsider* e esta (se prescindirmos, por vezes dos delitos capitais) é a culpa mais grave. Nos filmes, ele se torna, no melhor dos casos, o original, o objeto de uma sátira perfidamente indulgente; na maioria dos casos, porém, é o vilão. Logo a primeira cena assim o declara para que nem sequer temporariamente surja a suspeita de a sociedade voltar-se contra os homens de boa vontade. De fato, hoje, se realiza uma espécie de *welfare state* de espécie superior. Para defender as próprias posições, mantém-se viva uma economia em que, graças ao extremo desenvolvimento da técnica, as massas do próprio país já são, de início, supérfluas na produção. A posição individual se torna dessa forma precária. No liberalismo, o pobre passava por preguiçoso, hoje ele é logo suspeito. Aquele que não se provê é mandado para os campos de concentração, ou em todo caso ao inferno do trabalho mais humilde e para as favelas.

Mas a indústria cultural reflete a assistência positiva e negativa dispensada aos administrados como solidariedade imediata dos homens no mundo dos capazes. Ninguém é esquecido, por todos os lados estão os vizinhos, os assistentes sociais do tipo do dr. Gillespie e filósofos em domicílio com o coração do lado direito, que, da miséria socialmente reproduzida, fazem, com a sua intervenção afável de homem para homem, casos particulares e curáveis à medida que a depravação pessoal do sujeito não se oponha. O cuidado com as boas relações entre os dependentes, aconselhada pela ciência administrativa e já praticada por toda fábrica em vista do aumento da produção, reduz até mesmo o último impulso privado sob controle social, enquanto, em aparência, torna imediatas, ou volta a privatizar, as relações entre os homens na produção. Essa espécie de socorro psíquico lança a sua sombra reconciliadora sobre as trilhas visíveis e sonoras da indústria cultural muito antes de se expandir, totalitariamente, da fábrica à sociedade inteira. Mas os grandes beneméritos e benfeitores da humanidade — cujos empreendimentos científicos o cinema deve apresentar diretamente como atos de piedade, para que lhes carreie um fictício interesse humano — desempenham o papel de condutores do povo, que acabam por decretar a abolição da piedade e prevenir qualquer contágio, após liquidado até o último paralítico.

A insistência sobre a boa vontade é o modo pelo qual a sociedade confessa a dor que produz: todos sabem que, no sistema, não podem mais se ajudar sozinhos, e isso a ideologia há de levar em conta. Em vez de se limitar a cobrir a dor com o véu de uma solidariedade improvisada, a indústria cultural põe toda sua honra comercial em encará-la virilmente e em admiti-la mantendo com dificuldade a sua compostura. O *pathos* da compostura justifica o mundo que a torna necessária. Essa é a vida, assim dura, mas por isso assim também maravilhosa e sadia. A mentira não recua diante do trágico, a sociedade total não abole, mas registra e planifica a dor de seus membros; assim também procede a cultura de massa com o trágico. Daí os tenazes empréstimos da arte. Ela busca a substância trágica, que o puro divertimento não pode fornecer por si mesmo, mas que lhe ocorre se quer manter-se de alguma forma fiel ao postulado de reproduzir exatamente o fenômeno. O trágico, convertido em momento calculado e aprovado do mundo, torna-se a bênção do mundo. Ele depende da acusação de não se levar muito a sério a verdade, quando, ao invés, ela é praticada com cínico pesar. O trágico torna interessante o tédio da felicidade consagrada e torna o interessante acessível a todos. Oferece ao consumidor que viu culturalmente dias melhores o sucedâneo da profundidade há muito tempo liquidada, e, ao espectador comum, a escória cultural de que deve dispor por motivos de prestígio. A todos concede a consolação de que mesmo o forte e autêntico destino humano ainda é possível, e necessária é a sua representação sem preconceitos. A realidade compacta e sem lacunas, em cuja reprodução hoje se revolve a ideologia, aparece tanto mais grandiosa, nobre e possante quanto mais vem mesclada do necessário sofrimento. Ela assume a face do destino. O trágico é reduzido à ameaça de aniquilamento de quem não colabora, enquanto o seu significado paradoxal antes consistia na resistência sem esperança à ameaça mítica. O destino trágico transpira no justo castigo, transformação que sempre foi aspirada pela estética burguesa. A moral da cultura de massa é a mesma dos livros para rapazes de ontem, embora "aprofundada". Assim, na reprodução de primeira qualidade, o mal é personificado pela mulher histérica que, mediante um estudo de exatidão pretensamente clínica, procura prejudicar a mais realista rival do bem da sua vida e termina encontrando uma morte bem diversa da teatral. Uma apresentação assim científica tem lugar apenas nos vértices de produção. Mais abaixo, os gastos são menores, e o trágico é domesticado sem se precisar de psicologia social. Assim como toda opereta vienense que se respeite devia ter, no segundo ato, o seu final trágico, deixando para o ato seguinte o esclarecimento dos mal-entendidos, assim também a indústria cultural concede ao trágico um lugar preciso na *routine*. Já a notória existência da receita basta para aplacar o temor de que a tragicidade não seja controlada. A descrição da fórmula dramática por aquela dona de casa, *getting into trouble and out again*, define toda a cultura de massa dos *women serial* como mais idiota que a obra mais insignificante. Mesmo o pior êxito, que anteriormente estava investido de melhores intenções, reforça a ordem e falseia o trágico, seja que a amante ilegítima pague com a morte a sua breve felicidade, seja que o triste fim nas imagens faça resplandecer, tanto mais luminosa, a indestrutibilidade da vida real. O cinema trágico se torna definitivamente um instituto de aperfeiçoamento moral. As massas desmoralizadas pela vida sob a pressão do sistema e que se mostram civilizadas somente pelos comportamentos automáticos e forçados, das quais gotejam relutância e furor, devem ser disciplinadas pelo espetáculo da vida inexorável e pela contenção exemplar das vítimas. A cultura sempre contribuiu para domar os instintos revolucionários bem como os costumes bárbaros. A cultura industrializada dá algo mais. Ela ensina e infunde a condição em que a vida desumana pode ser tolerada. O indivíduo deve utilizar o seu desgosto geral como impulso para abandonar-se ao poder coletivo do qual está cansado. As situações cronicamente desesperadas que afligem o espectador na vida cotidiana transformam-se na reprodução, não se sabe como, na garantia de que se pode continuar a viver. Basta dar-se conta da própria inutilidade, subscrever a própria desconfiança, eis que já entramos no jogo. A sociedade é uma sociedade de desesperados e, portanto, a presa dos líderes. Em alguns dos mais significativos romances alemães do período pré-fascista, como *Berlin Alexanderplatz* e *Kleiner Mann, was nun?* [E agora, meu amigo?],[10] essa tendência se exprimia com o mesmo vigor que na média dos filmes e na técnica do *jazz*. No fundo trata-se sempre do autoescarnecimento do "homenzinho". A possibilidade de se tornar um sujeito econômico, empreendedor e proprietário é definitivamente afastada. Até a última drogaria, a empresa independente, sob cuja direção e herança fundavam-se a família burguesa e a posição do seu chefe, caiu numa dependência para a qual não há salvação. Todos se tornam empregados, e na civilização dos empregados cessa a dignidade já duvidosa do pai. O comportamento do indivíduo singular quanto ao *racket*[11] — firma, profissão ou partido —, antes ou depois da admissão, como o do líder diante da massa, do amante diante da mulher cortejada, assume traços tipicamente masoquistas. O comportamento a que cada um é constrangido para, em cada oportunidade, provar que pertence moralmente a essa sociedade, faz pensar nos rapazes que, no rito de admissão à tribo, se movem em círculo, com um sorriso idiota, sob as pancadas do sacerdote. A vida no capitalismo tardio é um rito permanente de iniciação. Todos devem mostrar que se identificam sem a mínima resistência com os poderes aos quais estão submetidos. Isso se encontra na base da síncope do *jazz* que escarnece dos tropeços e, ao mesmo tempo, os eleva à condição de norma. A voz de eunuco do *crooner* da rádio, o galante cortejador da herdeira, que cai de *smoking* na piscina, são exemplos para os homens, que de *per se* devem se ajustar ao que impõe o sistema. Todos podem ser como a sociedade onipotente, todos podem se tornar felizes, conquanto se entreguem sem reservas, e renunciem à sua pretensão de felicidade. A sociedade reconhece sua própria força na debilidade deles e lhes cede uma parte. A passividade do indivíduo o qualifica como elemento seguro. Assim o trágico é liquidado. Antigamente, a substância do trágico estava na oposição do indivíduo à sociedade. Ele exaltava "o valor e a liberdade de ânimo diante de um inimigo potente, de uma adversidade superior, de um terrível problema".[12] Hoje, o trágico se dissolveu no nada da falsa identidade entre sociedade e sujeito, cujo horror se vislumbra ainda na aparência fraudulenta do trágico. Mas o milagre da integração, o permanente ato de graça dos patrões em acolher quem cede e engole a própria relutância, tende ao fascismo. Tal "milagre" lampeja na humanidade com que Döblin permite ao seu Biberkopf[13] encontrar uma sistematização, assim como nos filmes de tom social. A capacidade de escorregar e de se arranjar, de sobreviver à própria ruína, pela qual o trágico é superado, é própria da nova geração; seus membros estão em condições de desempenhar qualquer trabalho, porque o processo de trabalho não os sujeita a um ofício determinado. Isso recorda a triste docilidade do sobrevivente, para o qual a guerra nada importava, ou do trabalhador ocasional, que termina por entrar nas ligas e nas organizações paramilitares. A liquidação do trágico confirma a liquidação do indivíduo.

Na indústria cultural o indivíduo é ilusório não só pela estandardização das técnicas de produção. Ele só é tolerado à medida que sua identidade sem reservas com o universal permanece fora de contestação. Da improvisação regulada do *jazz* até a personalidade cinematográfica original, que deve ter um topete caído sobre os olhos para ser reconhecida como tal, domina a pseudoindividualidade. O individual se reduz à capacidade que tem o universal de assinalar o acidental com uma marca tão indelével a ponto de torná-lo de imediato identificável. Mesmo o mutismo obstinado ou os modos eleitos pelo indivíduo que se expõe são produzidos em série, como as fechaduras Yale, que se distinguem entre si só por frações de milímetros. A particularidade do Eu é um produto patenteado, que depende da situação social e que é apresentado como natural. Essa se reduz aos bigodes, ao sotaque francês, à voz profunda de mulher vivida, ao *Lubitsch touch*,[14] que são quase como impressões digitais estampadas sobre documentos de identidade, entretanto iguais. Coisa em que, diante do poder universal, se transformam a vida e o rosto de todos os indivíduos, da estrela de cinema até o último condenado. A pseudoindividualidade é a premissa do controle e da neutralização do trágico: só pelo fato de os indivíduos não serem efetivamente assim, mas simples encruzilhadas das tendências do universal, é possível recapturá-los integralmente na universalidade. A cultura de massa assim desvela o caráter fictício que a forma do indivíduo sempre teve na época burguesa e o seu erro está apenas em vangloriar-se desta turva harmonia do universal com o particular. O princípio da individualidade sempre foi contraditório. Antes de tudo, nunca se chegou a uma verdadeira individualização. A autoconservação nas classes mantém a todos na condição de meros seres genéticos. Todo caráter burguês alemão exprimia, não obstante seus desvios e mesmo nestes, uma só e mesma coisa: a dureza da sociedade competitiva. O indivíduo, sobre o qual a sociedade se regia, portava o seu estigma; ele, em sua liberdade aparente, era o produto do aparato econômico e social. O poder apelava para as relações de força dominantes ao solicitar a resposta dos que lhe eram sujeitos. Por outro lado, a sociedade burguesa, em seu curso, também desenvolveu o indivíduo. Contra a vontade dos seus controladores, a técnica educou o homem desde criança. Mas todo o processo de individualização nesse sentido se cumpriu em prejuízo da individualidade, em cujo nome se dava, e desta só manteve a decisão de perseguir tão só e sempre a sua própria meta. O burguês, para quem a vida se divide em negócios e vida privada, a vida privada em representações e intimidade, a intimidade na repugnante comunidade do matrimônio e na amarga consolação de estar completamente só, separado de si e de todos, virtualmente já é o nazista, ao mesmo tempo entusiasta e injuriante, ou o moderno habitante das metrópoles, que só pode conceber a amizade como *social contact*, como a aproximação social de indivíduos intimamente distantes. A indústria cultural pode fazer o que quer da individualidade somente porque nela, e sempre, se reproduziu a íntima fratura da sociedade. Na face dos heróis do cinema e do homem da rua, confeccionada segundo os modelos das capas das grandes revistas, desaparece uma aparência em que ninguém mais crê, e a paixão por aqueles modelos vive da satisfação secreta de, finalmente, estarmos dispensados da fadiga da individualização, mesmo que seja pelo esforço — ainda mais trabalhoso — da imitação. Seria, entretanto, inútil esperar que a pessoa, em si contraditória e combalida, não possa durar gerações, que, nesta cisão psicológica, o sistema deva necessariamente se estilhaçar, que a enganosa substituição do individual pelo estereótipo deva tornar-se por si intolerável aos homens. Já o Hamlet, de Shakespeare, percebia a personalidade una como aparência. Nas fisionomias sinteticamente preparadas de hoje, já se mostra esquecido que, em algum tempo, tenha havido um conceito de vida humana. Há vários séculos a sociedade se preparou para Victor Mature e Mickey Rooney. Sua obra de dissolução é, ao mesmo tempo, uma conclusão.

A apoteose do tipo médio pertence ao culto do que tem bom preço. As estrelas mais bem pagas parecem imagens publicitárias de ignorados artigos-padrão. Não é por nada que são escolhidas com frequência entre as fileiras dos modelos comerciais. O gosto dominante tira o seu ideal da publicidade, da beleza de uso. Assim o dito socrático para o qual o belo é o útil, por fim, acha-se ironicamente realizado. O cinema faz publicidade para o truste cultural no seu todo; no rádio, os produtos pelos quais existem os bens culturais são elogiados mesmo individualizadamente. Por 50 *cents* vê-se o filme, que custou milhões, por 10 se obtém o chiclete que traz em si toda a riqueza do mundo e que a incrementa com a sua venda. As melhores orquestras do mundo, que não o são absolutamente, são fornecidas grátis em domicílio. Tudo isso é uma paródia do reino da carochinha, como a "comunidade popular"[15] o é da humana. Para todos, alguma coisa é preparada. A exclamação do provinciano que pela primeira vez se dirigia ao velho Metropoltheater de Berlim, "é incrível o que oferecem por tão pouco", já há algum tempo foi retomada pela indústria cultural e elevada à condição de substância da própria produção. Não só essa é sempre acompanhada do triunfo, em virtude mesmo de ser possível, como a todos faz iguais, em grande escala, por efeito desse mesmo triunfo. O show significa mostrar a todos o que se tem e o que se pode. E ainda a velha feira, mas incuravelmente afetada de cultura. Assim como os visitantes das feiras, atraídos pela voz persuasiva dos vendedores, superavam com um corajoso sorriso a desilusão causada pelos barracões, pois que, no fundo, já de antes conheciam o que se lhes apresentava, assim também o frequentador do cinema se enfileira compreensivo do lado da instituição. Mas com a acessibilidade dos produtos "de luxo" em série e com seu complemento, a confusão universal, tem início uma transformação no caráter de mercadoria da própria arte. Esse caráter nada tem de novo: só o fato de se reconhecer expressamente, e o de que a arte renegue a própria autonomia, enfileirando-se com orgulho entre os bens de consumo, tem o fascínio da novidade. A arte como domínio separado foi possível, desde o início, apenas como burguesa. Mesmo a sua liberdade, como negação da funcionalidade social que se impõe pelo mercado, permanece essencialmente ligada ao pressuposto da economia mercantil. As puras obras de arte, que negam o caráter de mercadoria da sociedade já pelo fato de seguirem a sua própria lei, sempre foram, ao mesmo tempo, também mercadorias: e à medida que, até o século XVIII, a proteção dos patronos defendeu os artistas do mercado, esses eram sujeitos, em troca, aos patronos e a seus propósitos. A liberdade dos fins da grande obra de arte moderna vive do anonimato do mercado. As exigências desse são tão complexamente mediadas que o artista permanece isento, seja apenas em uma certa medida, da pretensão determinada: pois sua autonomia, simplesmente tolerada, foi acompanhada, durante toda a história burguesa, por um momento de falsidade, que se desenvolveu por último na liquidação social da arte. Beethoven, mortalmente enfermo, que lança longe de si um romance de Walter Scott exclamando: "Este escreve por dinheiro!", e que, ao mesmo tempo, usufrui da venda dos últimos quartetos — suprema recusa do mercado — revela-se um homem de negócios, ainda que teimoso e nada esperto, oferecendo o exemplo mais grandioso da unidade dos opostos (mercado e autonomia) na arte burguesa. Vítimas da ideologia são aqueles que ocultam a contradição, em vez de acolhê-la, como Beethoven, na consciência da própria produção. Em música, ele refez a cólera pelo soldo perdido e deduziu aquele metafísico "Assim deve ser", que procura superar esteticamente — assumindo-a em si mesmo — a necessidade do mundo, a necessidade de pagar mensalmente o aluguel. O princípio da estética idealista, a finalidade sem fim, é a inversão do esquema a que obedece — socialmente — a arte burguesa: inutilidade para os fins estabelecidos pelo mercado. Por fim, na demanda de divertimento e dissensão, a finalidade devorou o reino da inutilidade. Mas como a instância da utilizabilidade da arte se torna total, começa a se delinear uma variação na íntima estrutura econômica das mercadorias culturais. O útil que os homens se prometem na sociedade de conflito, por meio da obra de arte, é exatamente, em larga medida, a existência do inútil: que, entretanto, é liquidado no ato de ser subjugado por inteiro ao princípio da utilidade. Adequando-se por completo a necessidade, a obra de arte priva por antecipação os homens daquilo que ela deveria procurar: liberá-los do princípio da utilidade. Aquilo que se poderia chamar o valor de uso na recepção dos bens culturais é substituído pelo valor de troca, em lugar do prazer estético penetra a ideia de tomar parte e estar em dia; em lugar da compreensão, ganha-se prestígio. O consumidor torna-se o álibi da indústria de divertimento, a cujas instituições ele não se pode subtrair. Precisa ter visto *Rosa de esperança,* como precisa ter em casa as revistas *Life* e *Time.* Tudo é percebido apenas sob o aspecto que pode servir a qualquer outra coisa, por mais vaga que possa ser a ideia dessa outra. Tudo tem valor somente enquanto pode ser trocado, não enquanto é alguma coisa de *per se.* O valor de uso da arte, o seu ser, é para os consumidores um fetiche, a sua valoração social, que eles tomam pela escala objetiva das obras, torna-se o seu único valor de uso, a única qualidade de que usufruem. Assim o caráter de mercadoria da arte se dissolve no próprio ato de se realizar integralmente. Ela é um tipo de mercadoria, preparado, inserido, assimilado à produção industrial, adquirível e fungível, mas o gênero de mercadoria arte, que vivia do fato de ser vendida, e de, entretanto, ser invendável, torna-se — hipocritamente — o absolutamente invendável quando o lucro não é mais só a sua intenção, mas o seu princípio exclusivo. A execução de Toscanini no rádio é, de certo modo, invendável. Escuta-se de graça, e a cada passagem da sinfonia se junta, por assim dizer, a sublime *reclame* resultante da sinfonia não ser interrompida pela propaganda — "This concert is brought to you as a public service". A fraude se cumpre indiretamente pelo ganho de os fabricantes de automóveis e de sabão que financiam as estações, e, naturalmente, pelo aumento de negócios da indústria elétrica, produtora dos aparelhos receptores. Em toda parte, o rádio, fruto tardio e mais avançado da cultura de massa, traz consequências provisoriamente recusadas ao filme por seu pseudomercado. A estrutura técnica do sistema comercial radiofônico o imuniza dos desvios liberais, como os que os industriais do cinema ainda se podem permitir no seu campo. É uma empresa privada que, em antecipação aos outros monopólios, já se mostra de todo soberana. Chesterfield é apenas o cigarro da nação, mas o rádio é o seu porta-voz. Incorporando completamente os produtos culturais na esfera das mercadorias, o rádio renuncia a colocar como mercadorias os seus produtos culturais. Ele não cobra do público nos Estados Unidos taxa alguma e, assim, assume o aspecto enganador de autoridade desinteressada e imparcial, que parece feita sob medida para o fascismo. Daí o rádio se tornar a boca universal do Führer; e a sua voz, nos alto-falantes das estradas, vai além do ulular das sirenes anunciadoras de pânico, do qual a propaganda moderna dificilmente pode-se distinguir. Mesmo os nazistas sabiam que o rádio dava forma a sua causa, como a imprensa dera à causa da Reforma. O carisma metafísico do líder inventado pela sociologia da religião se revelou, enfim, como a simples onipresença dos seus discursos no rádio, diabólica paródia da onipresença do espírito divino, O fato desmedido de o discurso penetrar em toda parte substitui o seu conteúdo, do mesmo modo como a oferta daquela transmissão de Toscanini tomava o lugar do seu conteúdo, a própria sinfonia. Nenhum dos ouvintes está mais em condições de conceber o seu verdadeiro contexto, enquanto o discurso do Führer já por si mesmo é a mentira. Pôr a palavra humana como absoluta, o falso mandamento, é a tendência imanente do rádio. A recomendação torna-se ordem. A apologia das mercadorias sempre iguais sob etiquetas diferentes, o elogio cientificamente fundado do laxativo na voz melosa do anunciante entre a *ouverture* da *Traviata* e a de *Rienzi* se tornou insustentável por sua própria grosseria. Por fim, o *diktat* da produção disfarçado pela aparência de uma possibilidade de escolha, a propaganda específica, pode ir além do aberto comando do chefe. Em uma sociedade de grandes *rackets* fascistas, que se pusessem de acordo sobre a parte do produto destinado a assegurar as necessidades do povo, seria demonstrada no fim anacrônica, a exortação em favor do uso de um detergente particular. O Führer mais moderno ordena, sem maiores cerimônias, o sacrifício, assim como a aquisição da mercadoria encalhada.

Já hoje as obras de arte como palavras de ordem política são oportunamente adaptadas pela indústria cultural, levadas a preços reduzidos a um público relutante, e o seu uso se torna acessível a todos como o uso dos parques. Mas a dissolução do seu autêntico caráter de mercadoria não significa que elas sejam custodiadas e salvas na vida de uma sociedade livre, mas sim que desaparece até a última garantia contra a sua degradação em bens culturais. A abolição do privilégio cultural por liquidação e venda a preço baixo não introduz as massas nos domínios já a elas anteriormente fechados, mas contribui, nas condições sociais atuais, a própria ruína da cultura, para o progresso da bárbara inconsistência. Quem no século passado, ou no início deste, gastava para ver um drama ou escutar um concerto, tributava ao espetáculo pelo menos tanto respeito quanto o dinheiro do ingresso. O burguês, que queria extrair alguma coisa por si, podia às vezes procurar relacionar-se com a própria obra. A assim chamada literatura introdutória às obras de Wagner e os comentários ao *Fausto* testemunham esse fato. Ela ainda não era apenas uma forma de passagem para o verniz biográfico e para as outras práticas nas quais hoje submergem as obras de arte. Mesmo nos primeiros tempos do sistema, o valor de troca não se arrastava atrás do valor de uso como um mero apêndice, porém o tinha desenvolvido como sua premissa, e isso foi socialmente vantajoso para a obra de arte. A arte ainda mantinha o burguês dentro de certos limites, à medida que era cara. Isso acabou. A sua proximidade absoluta, não mais mediada pelo dinheiro, para todos aqueles a quem é exibida, é o cume da alienação e aproxima uma à outra no signo da completa reificação. Na indústria cultural, desaparece tanto a crítica como o respeito: àquela sucede a *expertise* mecânica, a este, o culto efêmero da celebridade. Para os consumidores não existe mais nada que seja caro. Esses, entretanto, intuem que quanto mais se regala certa coisa, tanto menor se toma o seu preço. A dupla desconfiança para com a cultura tradicional como ideologia se mistura à desconfiança quanto à cultura industrializada como fraude. Reduzidas a pura homenagem, as obras de arte pervertidas e corruptas são secretamente empurradas pelos beneficiados para o meio dos trastes, com os quais são assimiladas. Os consumidores podem se alegrar que haja tanta coisa para ver e ouvir. Praticamente pode-se ter de tudo. Os "screenos"[16] e os *vaudevilles* no cinema, as disputas dos músicos, os cadernos gratuitos, as gratificações e os artigos de presente distribuídos aos ouvintes de determinados programas, não são meros acessórios, mas o prolongamento do que acontece com os próprios produtos culturais. A sinfonia torna-se um prêmio para a audição radiofônica em geral, e se a técnica pudesse fazer aquilo que quer, o filme já seria fornecido em domicílio conforme o exemplo do rádio.[17] Este tende ao *commercial system*. A televisão já mostra o caminho de uma evolução que poderá colocar os irmãos Warner na posição, para eles certamente não desejável, de guardiões e defensores da cultura tradicional. Mas a prática de prêmios já se depositou no comportamento dos consumidores. Enquanto a cultura se apresenta como homenagem, cuja utilidade privada e social permanece, ademais, fora de questão, a sua recepção se torna uma percepção de chances. Os ouvintes se aglomeram com medo de perder alguma coisa. O que seja essa coisa não se sabe, mas, de qualquer forma, há sempre uma probabilidade. Mas o fascismo espera reorganizar os recebedores de dons da indústria cultural no seu séquito regular e forçado.

A cultura é uma mercadoria paradoxal. É de tal modo sujeita à lei da troca que não é nem mesmo trocável; resolve-se tão cegamente no uso que não é mais possível utilizá-la. Funde-se por isso com a propaganda, que se faz tanto mais onipotente quanto mais parece absurda, onde a concorrência é apenas aparente. Os motivos, no fundo, são econômicos. É evidente que se poderia viver sem a indústria cultural, pois já são enormes a saciedade e a apatia que ela gera entre os consumidores. Por si mesma ela pode bem pouco contra esse perigo. A publicidade é o seu elixir da vida. Mas, já que o seu produto reduz continuamente o prazer que promete como mercadoria à própria indústria, por ser simples promessa, finda por coincidir com a propaganda, de que necessita para compensar a sua não fruibilidade. Na sociedade competitiva, a propaganda preenchia a função social de orientar o comprador no mercado, facilitava a escolha e ajudava o fornecedor mais hábil, contudo até agora desconhecido, a fazer com que a sua mercadoria chegasse aos interessados. Ela não só custava, mas também economizava tempo-trabalho. Agora que o livre mercado chega ao fim, entrincheira-se na propaganda o domínio do sistema. Ela reforça o vínculo que liga os consumidores às grandes firmas. Só quem pode rapidamente pagar as taxas exorbitantes cobradas pelas agências publicitárias, e, em primeiro lugar, pelo próprio rádio, ou seja, quem já faz parte do sistema, ou é expressamente admitido, tem condições de entrar como vendedor no pseudomercado. As despesas com a publicidade, que terminam refluindo para os bolsos dos monopólios, evitam ter, a cada vez, de esmagar a concorrência dos *outsiders* indesejáveis; garantem que os padrões de valor permanecem *entre soi*, em círculo fechado, nisto não são completamente diferentes das deliberações dos conselhos econômicos que, no Estado totalitário, controlam a abertura de novas agências ou a gestão das já existentes. A publicidade é hoje um princípio negativo, um aparelho de obstrução, tudo o que não porta o seu selo é economicamente suspeito. A publicidade universal não é em absoluto necessária para dar a conhecer os tipos a que a oferta já está limitada. Só indiretamente ela serve à venda. O abandono de uma práxis publicitária corrente por parte de uma única firma é uma perda de prestígio, e, na realidade, uma violação da disciplina que a trinca determinante impõe aos seus. Durante a guerra, continua-se a propagandear mercadorias que não estão mais à venda, somente a fim de expor e de deixar à mostra o poder industrial. Mais importante que a repetição do nome é, portanto, o financiamento dos meios de comunicação ideológica. Em virtude de, sob a pressão do sistema, cada produto empregar a técnica publicitária, ela entrou triunfalmente na gíria, no "estilo", da indústria cultural. A sua vitória é tão completa que, nos pontos decisivos, não tem sequer mais necessidade de se tornar explícita: os palácios monumentais das firmas gigantescas, publicidade petrificada à luz dos refletores, não tem propaganda, limitam-se, no máximo, a expor, sobre as colunas altas, brilhantes e lapidares, sem mais o acompanhamento de elogios, as iniciais da empresa, enquanto as casas sobreviventes do século XIX — em cuja arquitetura ainda se lê com rubor a utilidade dos bens de consumo, a finalidade da habitação — são besuntadas do chão ao teto de cartazes luminosos; a paisagem não sendo mais que o pano de fundo dos cartazes e dos letreiros. A publicidade torna-se a arte por excelência, como Goebbels, com seu faro, já soubera identificá-la. "L'art pour l'art", propaganda de si mesma, pura exposição do poder social. Já nas grandes revistas semanais americanas *Life* e *Fortune* uma rápida olhadela mal consegue distinguir figuras e textos publicitários da parte redacional. Saída da redação é a reportagem ilustrada, entusiástica e não paga, sobre os hábitos de vida e sobre a higiene pessoal do astro, coisa que lhe traz novas fãs, enquanto as páginas publicitárias se baseiam em fotografias e em dados tão objetivos e realistas a ponto de representarem o próprio ideal da informação, a que a parte redacional só faz aspirar. Cada filme é a apresentação do filme seguinte, que promete reunir outra vez mais a mesma dupla sob o mesmo céu exótico: quem chega atrasado fica sem saber se assiste ao "em breve neste cinema" ou ao filme propriamente dito. O caráter de montagem da indústria cultural, a fabricação sintética e guiada dos seus produtos, industrializada não só no estúdio cinematográfico, mas virtualmente, ainda na compilação das biografias baratas, nas pesquisas romanceadas e nas canções, adapta-se *a priori* à propaganda. Já que o momento particular tornou-se separável e fungível, descartado mesmo tecnicamente de qualquer nexo significativo, ele se pode prestar a finalidades externas à obra. O efeito, o achado, o *exploit* isolado e repetível, ligou-se para sempre com a exposição de produtos para fins publicitários, e hoje cada primeiro plano de uma atriz é uma "propaganda" do seu nome, cada motivo de sucesso o *plug* da sua melodia. Técnica e economicamente, propaganda e indústria cultural mostram-se fundidas. Numa e noutra a mesma coisa aparece em lugares inumeráveis, e a repetição mecânica do mesmo produto cultural já é a repetição do mesmo *slogan* da propaganda. Numa e noutra, sob o imperativo da eficiência, a técnica se toma psicotécnica, técnica do manejo dos homens. Numa e noutra valem as formas do surpreendente e todavia familiar, do leve e contudo incisivo, do especializado e entretanto simples; trata-se sempre de subjugar o cliente, representado como distraído ou relutante.

Pela linguagem em que se exprime, contribui ele próprio para fortalecer o caráter publicitário da cultura. Quanto mais a linguagem se resolve em comunicação, quanto mais as palavras se tornam, de portadoras substanciais de significado, em puros signos privados de qualidade, quanto mais pura e transparente é a transmissão do objeto intencionado, tanto mais se tornam opacos e impenetráveis. A desmistificação da linguagem, como elemento de todo processo iluminista, inverte-se em magia. Reciprocamente distintos e indissolúveis, palavra e conteúdo eram unidos entre si. Conceitos como melancolia, história e, inclusive, "a vida" eram conhecidos nos termos que os representavam e custodiavam. A sua forma os constituía e, ao mesmo tempo, os reproduzia. A nítida separação que declara casual o teor da palavra e arbitrária a coordenação como objeto, liquida a confusão supersticiosa entre palavra e coisa. Aquilo que em uma sucessão estabelecida de letras transcende a correlação ao evento é banido como obscuro e como metafísica verbal. Com isso, porém, a palavra que deve tão só designar (*bezeichnen*) e não significar (*bedeuten*) nada torna-se de tal modo fixada à coisa que se enrijece em fórmula. Isso toca simultaneamente à língua e ao objeto. Em vez de conduzir o objeto à experiência, a palavra purgada o expõe como caso de um momento abstrato, e todo o resto, excluído da expressão (que não mais existe) por uma exigência de clareza desapiedada, perece mesmo na realidade. O ponta esquerda no futebol, o camisa negra, o jovem hitlerista etc. não são nada mais além de que designam. Se a palavra, antes da sua racionalização, tinha promovido, junto com o desejo, mesmo a mentira, a palavra racionalizada tornou-se uma camisa de força para o desejo mais ainda que para a mentira. A cegueira e o mutismo dos dados a que o positivismo reduz o mundo atingem mesmo a linguagem que se limita ao registro daqueles dados. Assim os próprios termos se tomam impenetráveis, adquirem um poder de choque, uma força de adesão e de repulsão que os torna parecidos com seu extremo oposto, as fórmulas mágicas. Eles operam como uma espécie de truques, seja que o nome da estrela é inventado no estúdio cinematográfico, segundo a experiência dos dados estatísticos, seja que o *welfare state* seja caluniado por meio de termos com força de tabu, como "burocratas" ou "intelectuais", seja que a infâmia se torna invulnerável pelo nome da Pátria. O próprio nome que mais se liga à magia hoje sofre uma transformação química. Transforma-se em etiqueta arbitrária e manipulável, cuja eficácia pode ser calculada, mas mesmo por isso dotado de uma força e de uma vontade própria como a dos nomes arcaicos. Os nomes de batismo, resíduos arcaicos, foram elevados à altura dos tempos, sendo estilizados como siglas publicitárias — nos astros mesmo os cognomes têm essa função — ou sendo estandardizados coletivamente. Soa como antiquado, ao invés, o nome burguês, o nome de família, que, em lugar de ser uma etiqueta, individualizava o seu portador em relação à sua própria origem. Isso suscita em muitos estadunidenses um estranho embaraço. Para mascarar a incômoda distância entre indivíduos particulares, chamam-se entre si Bob e Harry, como membros substituíveis de times. Esse hábito reduz as relações entre os homens à fraternidade do público desportivo, que protege da verdadeira fraternidade. A significação, que é a única função da palavra admitida pela semântica, realiza-se plenamente no sinal. A sua natureza de sinal se reforça com a rapidez com que os modelos linguísticos são postos em circulação do alto.

Se os cantos populares, certa ou erradamente, foram considerados patrimônio cultural "arruinado" pela casta dominante, os seus elementos, em todo caso, assumiam a sua forma popular só depois de um longo e complicado processo de experiência. A difusão das *popular songs*, ao contrário, acontece fulminantemente. A expressão americana *fad*, para significar modas que se afirmam de forma epidêmica — ou seja, promovidas por potências econômicas altamente concentradas —, designava o fenômeno bem antes que os diretores da propaganda totalitária jogassem fora as linhas gerais da cultura. Se hoje os fascistas alemães lançam pelos alto-falantes a palavra "intolerável", amanhã todo o povo dirá também "intolerável". Segundo o mesmo esquema, as nações contra as quais era empreendida a guerra relâmpago alemã a acolheram na sua gíria. A repetição universal dos termos adotados pelas várias determinações torna estas últimas de qualquer modo familiares, como nos tempos do mercado livre, o nome de um produto em todas as bocas promovia a sua vendagem. A repetição cega e a rápida expansão de palavras estabelecidas une a publicidade à palavra de ordem totalitária. A camada de experiência que fazia das palavras as palavras dos homens que as pronunciavam está inteiramente achatada, e mediante a rápida assimilação, a língua assume uma frieza que, até então, só caracterizava as colunas publicitárias e as páginas de anúncio dos jornais. Infinitas pessoas usam palavras e expressões que ou nem mesmo mais compreendem, ou que só empregam segundo o seu valor behaviorista de posição, como símbolos protetores que se fixam tanto mais tenazmente aos seus objetos quanto menos ainda se está em grau de compreender o seu significado linguístico. O ministro da instrução popular fala de forças dinâmicas, sem saber o que à expressão significa, e as canções que cantam sem cessar os *reverie* e *rhapsody* devem a sua popularidade justamente à magia do incompreensível, experimentada como o *frisson* de uma vida mais alta. Outros estereótipos, como *memory*, ainda são em certa medida entendidos, mas fogem à experiência que deveriam cumulá-las. Afloram como enclaves na linguagem falada. Na rádio alemã de Flesch e Hitler tais estereótipos podem ser captados no afetado alto alemão (Hoch-Deutsch) do anunciante, que diz à nação *Auf Wiederhören* ou *Hier spricht die Hitlerjugend*, e, por fim, *Führer* com uma cadência que de repente se torna sotaque natural de milhões. Nessas expressões corta-se mesmo o último vínculo entre a experiência sedimentada e a língua, que exercia ainda uma benéfica influência, no século XIX, pelo dialeto. O redator cuja ductibilidade de convicções permitiu tornar-se *deutscher Schriftleiter*[18] vê, em troca, sob a pena, as palavras alemãs enrijecerem-se em palavras estrangeiras. Em cada palavra pode-se perceber até que ponto foi desfigurada pela "comunidade popular" fascista. É verdade que, em seguida, essa linguagem se tornou universal e totalitária. Não é mais possível advertir nas palavras a violência que elas sofreram. O locutor da rádio não necessita mais falar afetado; pois não seria sequer possível que o seu sotaque não se distinguisse pelo caráter de entonação do grupo de ouvintes que lhe foi assegurado. Mas, em troca, o modo de se exprimir e de gesticular dos ouvintes e dos espectadores, chegando até a nuanças que nenhum método experimental está em condições de captar, está mais do que nunca infiltrado pelo esquema da indústria cultural. A indústria cultural de hoje herdou a função civilizatória da democracia da *frontier* e da livre-iniciativa, que de resto nunca manifestou uma sensibilidade muito refinada para com as diferenças espirituais. Todos são livres para dançar e se divertir, como, desde a neutralização histórica da religião, são livres para ingressar em uma das inumeráveis seitas. A liberdade na escolha das ideologias, contudo, que sempre reflete a pressão econômica, revela-se em todos os setores como liberdade do sempre-igual. O modo como uma moça aceita e executa o seu *date* obrigatório, o tom da voz ao telefone e na situação mais familiar, a escolha das palavras na conversação, e toda a vida íntima ordenada segundo os conceitos da psicanálise vulgarizada, documenta a tentativa de fazer de si um aparelho adaptado ao sucesso, correspondendo, até nos movimentos instintivos, ao modelo oferecido pela indústria cultural. As reações mais secretas dos homens são assim tão perfeitamente reificadas diante de seus próprios olhos, que a ideia do que lhes é específico e peculiar apenas sobrevive sob a forma mais abstrata: *personality* não significa praticamente — para eles — outra coisa senão dentes brancos e liberdade de suor e de emoções. Isso é o triunfo da propaganda na indústria cultural, a mimese compulsória dos consumidores às mercadorias culturais cujo sentido eles ao mesmo tempo deciframr.

NOTAS

1. Tradução de Júlia Elisabeth Levy, revisão de Luiz Costa Lima e Otto Maria Carpeaux. Revisão para essa edição: Jorge de Almeida. Publicado originalmente em *Teoria da cultura de massa* (org. Luiz Costa Lima), Rio de Janeiro, Paz e Terra, 1978.
2. Permissão concedida por autoridades eclesiásticas para uma publicação impressa. [*N. da E.*]

3. F. Nietzsche, *Unzeitgemàsse Betrachtung*, in: *Werke* [Obra], Leipzig, 1917, p. 187. [Ed. bras.: *Segunda consideração intempestiva: da utilidade e desvantagem da história para a vida*, Rio de Janeiro, Relume-Dumará, 2014.]

4. A. De Tocqueville, *De la Démocratie en Amérique*, Paris, 1864, fl. 151. [Ed. bras.: *A democracia na América*, São Paulo, Edipro, 2019.]

5. Órgão encarregado da censura cinematográfica. Sua força foi sensivelmente abrandada nos fins da presidência de Johnson (1969). [*N. do T.*]

6. Note-se pela data de feitura deste ensaio que a televisão não estava então difundida. [*N do. T.*]

7. F. Wedekind, *Gesammelte Werke* [Obra completa], Munique, 1921, IX, p. 426.

8. Novela de Clarence Day. Baseada em seu tipo de enredo familiar, leve e mediocremente engraçado gerou, depois, uma série de filmes para a TV, a exemplo de *Papai sabe tudo*. [*N. do T.*]

9. Popular personagem de quadrinhos, que encarna o marido paspalhão, dominado por Blondie, sua mulher. [*N. do T.*]

10. O primeiro é um romance de Alfred Döblin (1878-1957) e o segundo de Hans Fallada (1893-1947). [*N. do T.*]

11. Adorno joga na frase com a ambiguidade assegurada pelo sentido da palavra em inglês: *racket* significa não só "qualquer ramo de negócios" como também plano fraudulento, chantagem estabelecida para a exploração de comerciantes. [*N. do T.*]

12. Nietzsche, "Götzen-Darnmerung", in: *Werke VIII*, p.136. [Ed. bras.: *Crepúsculo dos ídolos*, Petrópolis, Vozes, 2014.]

13. Personagem principal, um operário que se torna criminoso em *Berlin Alexanderplarz*, de Alfred Döblin, romancista em que Otto Maria Carpeaux descobre a influência de Joyce (v. *História da Literatura Alemã*, Cultrix, São Paulo). [*N. do T.*]

14. Referência a Lubitsch (Ernst) diretor cinematográfico alemão (Berlim, 1892 — Hollywood, 1947), atraído em 1923 por Hollywood, autor de comédias e operetas. [*N. do T.*]

15. *Volksgemeinschaft*: expressão dos teóricos nazistas do racismo. [*N. do T.*]
16. Jogos em que a audiência tomava parte entre as sessões de filmes. [*N. do E.*]
17. Como já se notou, quando os autores escreveram este ensaio a televisão apenas começava. [*N. do T.*]
18. "Redator alemão". Na exaltação das virtudes e valores germânicos puros, os nazistas preferiam aquela expressão à latina, conquanto mais usual, "Redakteur". [*N. do T.*]

Crítica cultural e sociedade[1]

Theodor W. Adorno
(1949)

A sonoridade da expressão "crítica cultural" deve incomodar quem está acostumado a pensar com os ouvidos, e não apenas porque combina, como a palavra "automóvel", termos do grego e do latim. Ela recorda uma flagrante contradição. O crítico da cultura não está satisfeito com a cultura, mas deve unicamente a ela esse seu mal-estar. Ele fala como se fosse o representante de uma natureza imaculada ou de um estágio histórico superior, mas é necessariamente da mesma essência daquilo que pensa ter a seus pés. A insuficiência do sujeito que pretende, em sua contingência e limitação, julgar a violência do existente — uma insuficiência tantas vezes denunciada por Hegel, com vistas a uma apologia do *status quo* — torna-se insuportável quando o próprio sujeito é mediado até a sua composição mais íntima pelo conceito ao qual se contrapõe como se fosse independente e soberano. Mas a impropriedade da crítica cultural, no que diz respeito ao conteúdo, não decorre tanto da falta de respeito pelo que é criticado quanto do secreto reconhecimento, arrogante e cego, do objeto de sua crítica. O crítico da cultura mal consegue evitar a insinuação de que possui a cultura que diz faltar. Sua vaidade vem em socorro da vaidade da cultura: mesmo no gesto acusatório, o crítico mantém a ideia de cultura firmemente isolada, inquestionada e dogmática. Ele desloca o ataque. Onde há desespero e incomensurável sofrimento, o crítico da cultura vê apenas algo de espiritual, o estado da consciência humana, a decadência da norma. Na medida em que a crítica insiste nisso, cai na tentação de esquecer o indizível, em vez de procurar, mesmo que não tenha poder para tanto, afastá-lo dos homens.

A atitude do crítico da cultura lhe permite, graças à sua diferença em relação ao caos predominante, ultrapassá-lo teoricamente, embora com bastante frequência ele apenas recaia na desordem. Mas o crítico da cultura incorpora a diferença no aparato cultural que gostaria de suplantar, aparato que precisa, ele mesmo, dessa diferença para poder se apresentar como cultura. É próprio da pretensão da cultura à distinção, por meio da qual ela procura se dispensar da prova das condições materiais de vida, nunca se julgar distinta o suficiente. O exagero da presunção cultural, que por sua vez é imanente ao próprio movimento do espírito, aumenta a distância em relação a essas condições à medida que a dignidade da sublimação, confrontada com a possibilidade de satisfação material ou ameaça de aniquilação de incontáveis seres humanos, torna-se questionável. O crítico da cultura faz dessa pretensão aristocrática um privilégio seu, perdendo sua legitimação ao cooperar com a cultura como um flagelo honrado e bem pago. Isso afeta, no entanto, o teor da crítica. Mesmo o implacável rigor com que essa enuncia a verdade sobre a consciência não verdadeira permanece confinado na órbita do que é combatido, fixado em suas manifestações. Quem se proclama superior sente-se ao mesmo tempo como sendo do ramo. Se alguém estudasse a profissão de crítico na sociedade burguesa, que avançou finalmente até a posição de crítico cultural, encontraria certamente em sua origem um elemento usurpador, como aquele que Balzac, por exemplo, ainda podia observar. Os críticos profissionais eram, sobretudo, "informantes": orientavam sobre o mercado dos produtos espirituais. Alcançavam ocasionalmente com isso uma visão mais profunda da questão, permanecendo, contudo, sempre também como agentes do comércio, em consonância, se não com seus produtos individuais, com a esfera do comércio enquanto tal. Eles trazem as marcas disso, mesmo que tenham abandonado o papel de agente. Que lhes tenha sido confiado o papel de perito, e depois o de juiz, foi algo inevitável do ponto de vista econômico, embora acidental no que diz respeito a suas qualificações objetivas. A agilidade que lhes proporcionava posições privilegiadas no jogo da concorrência — privilegiadas porque o destino do que era julgado dependia em grande parte de seu voto — conferia aos seus julgamentos a ilusão de competência. Ocupando habilmente as lacunas e adquirindo, com a expansão da imprensa, uma maior influência, os críticos acabaram alcançando exatamente aquela autoridade que a sua profissão pretensamente já pressupunha. Sua arrogância provém do fato de que, nas formas da sociedade concorrencial, onde todo ser é meramente um ser para outro, até mesmo o próprio crítico passa a ser medido apenas segundo seu êxito no mercado, ou seja, na medida em que ele exerce a crítica. O conhecimento efetivo dos temas não era primordial, mas sempre um produto secundário, e quanto mais falta ao crítico esse conhecimento, tanto mais essa carência passa a ser cuidadosamente substituída pelo eruditismo e pelo conformismo. Quando os críticos finalmente não entendem mais nada do que julgam em sua arena, a da arte, e deixam-se rebaixar com prazer ao papel de propagandistas ou censores, consuma-se neles a antiga falta de caráter do ofício.

As prerrogativas da informação e da posição permitem que eles expressem sua opinião como se fosse a própria objetividade. Mas ela é unicamente a objetividade do espírito dominante. Os críticos da cultura ajudam a tecer o véu.

O conceito de liberdade de opinião, e mesmo o próprio conceito de liberdade espiritual na sociedade burguesa, no qual a crítica cultural se baseia, possui a sua própria dialética. Pois, enquanto se liberava da tutela teológico-feudal, o espírito, graças à progressiva socialização de todas as relações humanas, caía cada vez mais sob o controle anônimo das relações vigentes, que não apenas se impôs a partir de fora, como também se introduziu em seu feitio imanente. Essas relações se impõem tão impiedosamente ao espírito autônomo quanto antes os ordenamentos heterônomos se impunham ao espírito comprometido. Não só o espírito se ajusta à sua venalidade mercadológica, reproduzindo com isso as categorias sociais predominantes, como se assemelha, objetivamente, ao *status quo*, mesmo quando, subjetivamente, não se transforma em mercadoria. As malhas do todo são atadas cada vez mais conforme o modelo do ato de troca. Este permite à consciência individual cada vez menos espaço de manobra, passa a formá-la de antemão, de um modo cada vez mais radical, cortando-lhe, *a priori*, a possibilidade da diferença, que se degrada em mera nuance no interior da homogeneidade da oferta. Simultaneamente, a aparência de liberdade torna a reflexão sobre a própria não liberdade incomparavelmente mais difícil do que antes, quando essa estava em contradição com uma não liberdade manifesta, o que acaba reforçando a dependência. Esses momentos, em conjunto com a seleção social dos portadores do espírito, têm como resultado a regressão do espírito. Sua responsabilidade transforma-se, de acordo com a tendência preponderante da sociedade, em ficção. De sua liberdade, o espírito desenvolve apenas o momento negativo, a herança de sua condição monadológica e sem projetos: a irresponsabilidade. Fora disso, porém, ele adere cada vez mais firmemente, como mero ornamento, à infraestrutura da qual pretendia se destacar. As invectivas de Karl Kraus contra a liberdade de imprensa não devem, é claro, ser tomadas ao pé da letra: invocar a sério a censura contra os escribas seria exorcizar o demônio apelando a Belzebu. Mas a tolice e a mentira que florescem sob a proteção da liberdade de imprensa não são, seguramente, algo de acidental na marcha histórica do espírito; são os estigmas da escravidão na qual se encena sua libertação, os estigmas da falsa emancipação. Em nenhum outro lugar isso se torna tão evidente quanto lá onde o espírito arranca seus próprios grilhões: na crítica. Quando os fascistas alemães proscreveram a palavra *Kritik* e a substituíram pelo aguado conceito de *Kunstbetrachtung* [contemplação da arte], seguiam apenas o forte interesse do Estado autoritário, que ainda temia na irreverência do colaborador de folhetins o *pathos* do Marquês de Posa. Mas a arrogante barbárie cultural que reclamava aos berros a eliminação da crítica, a irrupção da horda selvagem no recinto do espírito, retrucava, sem perceber, com a mesma moeda. Na raiva animalesca do camisa parda contra os criticastros não vive somente a inveja de uma cultura odiada porque o exclui, nem apenas o ressentimento contra aqueles que podem expressar o negativo que ele próprio teve de reprimir. O decisivo é que o gesto soberano do crítico encena aos leitores a independência que ele não possui, e presume um papel de comando que é irreconciliável com o seu próprio princípio de liberdade espiritual. Isso enerva os seus inimigos. O sadismo desses foi idiossincraticamente atraído pela fraqueza, astuciosamente disfarçada de força, daqueles cuja gesticulação ditatorial teria suplantado com tanto gosto a dos posteriores donos do poder, muito menos sutis. Mas os fascistas sucumbiram à mesma ingenuidade dos críticos: a crença na cultura enquanto tal, agora restrita à ostentação e aos gigantes do espírito mais convenientes. Eles se sentiram os médicos da cultura e a livraram do aguilhão da crítica. Com isso, não apenas se rebaixaram ao oficialismo, como também deixaram de reconhecer o quanto a crítica e a cultura estão entrelaçadas, para o bem ou para o mal. A cultura só é verdadeira quando implicitamente crítica, e o espírito que se esquece disso vinga-se de si mesmo nos críticos que ele próprio cria. A crítica é um elemento inalienável da cultura, repleta de contradições e, apesar de toda sua inverdade, ainda é tão verdadeira quanto não verdadeira é a cultura. A crítica não é injusta quando destrói — esta ainda seria sua melhor qualidade —, mas quando, ao desobedecer, obedece.

A cumplicidade da crítica cultural com a cultura não reside na mera mentalidade do crítico. É ditada sobretudo pela relação do crítico com aquilo de que trata. Ao fazer da cultura o seu objeto, o crítico torna a objetivá-la. O sentido próprio da cultura, entretanto, consiste na interrupção da objetivação. Tão logo a cultura se congela em "bens culturais" e na sua repugnante racionalização filosófica, os chamados "valores culturais", peca contra a sua *raison d'être*. Na destilação desses "valores" — termo no qual ecoa, não por acaso, a linguagem da troca de mercadorias — a cultura se entrega às determinações do mercado. Mesmo no entusiasmo por grandes civilizações exóticas pulsa a excitação com uma peça rara, na qual pode-se investir algum dinheiro. Quando a crítica cultural, até mesmo em Valéry, alia-se ao conservadorismo, deixa-se conduzir secretamente por um conceito de cultura que aspira, na era do capitalismo tardio, a uma forma segura de propriedade, que não seja afetada pelas oscilações da conjuntura. Esse conceito de cultura se apresenta como livre em relação ao sistema e capaz de garantir uma segurança universal em meio à dinâmica universal. O crítico da cultura tem como modelo, além do crítico de arte, o colecionador que avalia com desprezo os objetos que deseja adquirir. A crítica cultural lembra geralmente o gesto do comerciante regateador, como no caso do especialista que contesta a autenticidade de um quadro ou o classifica entre as obras menores de um mestre. Despreza-se o objeto para lucrar mais. Enquanto avaliador, o crítico da cultura tem inevitavelmente de se envolver com uma esfera maculada por valores culturais, mesmo quando luta zelosamente contra a mercantilização da cultura. Em sua atitude contemplativa em relação a ela, introduz-se necessariamente um inspecionar, um supervisionar, um pesar, um selecionar: isto lhe serve, aquilo ele rejeita. Justamente sua soberania, a pretensão de possuir um conhecimento profundo do objeto, a separação entre o conceito e seu conteúdo através da independência do juízo, ameaça sucumbir à configuração reificada do objeto, na medida em que a crítica cultural apela a uma coleção de ideias estabelecidas, fetichizando categorias isoladas como "espírito", "vida" e "indivíduo".

Mas o seu supremo fetiche é o conceito de cultura enquanto tal. Pois nenhuma obra de arte autêntica e nenhuma filosofia verdadeira jamais esgotaram seu sentido em si mesmas, em seu ser-em-si, sempre estiveram relacionadas ao processo vital real da sociedade, do qual se separaram. Justamente a renúncia à rede de culpa de uma vida que se reproduz cega e rigidamente, a insistência na independência e na autonomia, no rompimento com o reino estabelecido dos fins, implica, ao menos como elemento inconsciente, a referência a uma situação na qual a liberdade seria realizável. Mas a liberdade permanecerá uma promessa ambígua da cultura enquanto sua existência depender de uma realidade mistificada, ou seja, em última instância, do poder de disposição sobre o trabalho de outros. O fato de que a cultura europeia como um todo tenha degenerado em mera ideologia aquilo que oferece ao consumo, hoje prescrito a populações inteiras por *managers* e técnicos em psicologia, provém da mudança de sua função em relação à práxis material, de sua renúncia a uma intervenção direta. Essa mudança certamente não foi nenhum pecado original, mas algo imposto historicamente. Pois apenas fragmentariamente no recolhimento em si mesma, a cultura burguesa alcança a ideia de pureza em relação aos traços deformadores de uma desordem que se expande sobre a totalidade dos setores da existência. A cultura burguesa só permanece fiel aos homens quando subtrai a si própria, e assim aos homens, da práxis que se converteu em seu oposto, da sempre renovada produção da mesmice, da prestação de serviços ao cliente como serviço ao manipulador. Mas essa concentração da cultura burguesa em sua substância intrínseca, que encontrou sua maior expressão na poesia e na teoria de Paul Valéry, trabalha ao mesmo tempo para o esvaziamento dessa substância. No momento em que a ponta do espírito voltada para a realidade é afastada, o sentido do espírito se modifica, apesar da mais rigorosa preservação de seu sentido. Pela resignação diante da fatalidade do processo vital, e mais ainda por sua consolidação como um âmbito especial entre outros, o espírito se alia ao mero ente [*bloss Seienden*] e transforma-se, ele próprio, em um mero ente. A castração da cultura, que provoca a indignação dos filósofos desde os tempos de Rousseau e do "século dos espalha-tintas" do drama *Die Rauber* de Schiller, passando por Nietzsche e chegando até os pregadores do *engagement* por amor ao próprio *engagement*, é o resultado do processo no qual a cultura toma consciência de si mesma enquanto cultura, opondo-se forte e consistentemente à crescente barbárie do predomínio do poder econômico. O que parece ser a decadência da cultura é o seu puro caminhar em direção a si mesma. A cultura deixa-se idolatrar apenas quando está neutralizada e reificada. O fetichismo passa a gravitar na órbita da mitologia. Os críticos da cultura se embriagam, na maioria das vezes, com ídolos provenientes da Antiguidade e até do duvidoso e já evaporado calor da era liberal, que exortava sua origem no momento em que sucumbia. Como a crítica cultural se levanta contra a progressiva integração de toda consciência no aparato de produção material, mas não consegue ver para além disso, volta-se para o passado, seduzida pela promessa de imediatidade. E levada a isso por sua própria força gravitacional, e não simplesmente pela influência de uma ordem social que se vê obrigada a encobrir, com uma gritaria contra a desumanização e o progresso, todo progresso no processo de desumanização por ela conduzido. O isolamento do espírito em relação à produção material certamente eleva sua cotação, mas também o transforma, na consciência geral, em bode expiatório de tudo o que é perpetrado pela práxis. A culpa é atribuída ao esclarecimento enquanto tal, não ao esclarecimento enquanto instrumento da dominação efetiva: daí o irracionalismo da crítica cultural. Uma vez que ela retira o espírito da dialética que este mantém com as condições materiais, passa a concebê-lo unívoca e linearmente como um princípio de fatalidade, sonegando assim os momentos de resistência do espírito. O crítico da cultura não é capaz de compreender que a reificação da própria vida repousa não em um excesso, mas em uma escassez de esclarecimento, e que as mutilações infligidas à humanidade pela racionalidade particularista contemporânea são estigmas da irracionalidade total. A abolição dessa irracionalidade, que coincidiria com a abolição da separação entre trabalho manual e trabalho intelectual, aparece à cegueira da crítica cultural como o caos: para quem glorifica a ordem e a estrutura de qualquer espécie, esta separação petrificada torna-se um arquétipo do eterno. Que a cisão mortal da sociedade possa um dia terminar é para ele sinônimo de uma fatalidade mortal: é preferível o fim de todas as coisas do que a humanidade pôr um fim à reificação. O medo de que isso possa ocorrer se harmoniza com os interesses dos interessados na manutenção da negativa material. Sempre que a crítica cultural se queixa de materialismo, promove a crença de que o pecado é o desejo dos homens por bens de consumo, e não a organização do todo que nega aos homens esses bens: para o crítico da cultura, o pecado é a saciedade, e não a fome. Se a humanidade dispusesse da abundância, arrancaria os grilhões dessa barbárie civilizada que os críticos da cultura debitam na conta do progresso do espírito, em vez de debitá-la na do atraso das condições materiais. Os valores eternos aos quais a crítica cultural se refere espelham a doença perenizada. O crítico da cultura se alimenta da teimosia mítica da cultura.

Porque a existência da crítica cultural, qualquer que seja o seu conteúdo, depende do sistema econômico e está atrelada ao seu destino. Quanto mais completamente as ordens sociais contemporâneas, especialmente as do Leste, se apropriam dos processos de vida, inclusive do "ócio", tanto mais se imprime a todos os fenômenos do espírito a marca da ordem. Seja como entretenimento ou como edificação, eles colaboram de imediato para a manutenção da ordem e são consumidos de modo exato como expoentes dessa ordem, ou seja, justamente em virtude de sua pré-formatação social. Conhecidos, garantidos e aprovados, esses fenômenos do espírito se aninham na consciência regressiva, recomendando-se como naturais e permitindo a identificação com os poderes vigentes, cuja preponderância não deixa outra alternativa senão a do falso amor. Em outros casos, os fenômenos culturais se transformam, por sua discordância, em raridades, o que os torna novamente vendáveis. No transcorrer da era liberal, a cultura caiu na esfera da circulação. O definhamento paulatino dessa esfera acabou afetando o próprio nervo vital da cultura. Com a eliminação do comércio e de seus refúgios irracionais pelo calculado aparato de distribuição da indústria, a mercantilização da cultura completa-se até a insânia inteiramente dominada, administrada e de certa forma cultivada integralmente, a cultura acaba por definhar. A denunciadora frase de Spengler sobre o parentesco entre dinheiro e espírito prova-se correta. Mas sua simpatia pelas formas imediatas de dominação fez com que ele defendesse uma concepção de existência distante tanto das mediações econômicas quanto das mediações espirituais. Maliciosamente, Spengler vincula o espírito a um tipo econômico na verdade já superado, em vez de reconhecer que o espírito, por mais que seja também um produto desse tipo econômico, implica, ao mesmo tempo, a possibilidade objetiva de superá-lo. Assim como a cultura surgiu no mercado, no comércio, na comunicação e na negociação como algo distinto da luta imediata pela autopreservação individual; assim como ela se irmana, no capitalismo clássico, ao comércio; e assim como os seus portadores se incluem entre as "terceiras pessoas" e se sustentam como intermediários; assim a cultura, considerada "socialmente necessária" segundo as regras clássicas, ou seja, algo que se reproduz economicamente, restringe-se novamente ao âmbito em que se iniciou, o da mera comunicação. Sua alienação do humano desemboca na absoluta docilidade em relação a uma humanidade metamorfoseada em clientela pelos fornecedores. Em nome dos consumidores, os que dispõem sobre a cultura reprimem tudo o que poderia fazer com que ela escapasse à imanência total da sociedade vigente, permitindo apenas o que serve inequivocamente aos seus propósitos. A cultura dos consumidores pode por isso vangloriar-se de não ser um luxo, mas o simples prolongamento da produção. Em consonância com isso, as etiquetas políticas calculadas para a manipulação das massas estigmatizam unanimemente como luxo, esnobismo e *highbrow* tudo o que na cultura desagrada aos comissários. Somente quando a ordem estabelecida passa a ser aceita como medida de todas as coisas a sua mera reprodução na consciência converte-se em verdade. A crítica cultural aponta para isso, reclamando contra a "superficialidade" e a "perda de substância". Ao restringir sua atenção, porém, ao entrelaçamento entre cultura e comércio, a própria crítica cultural participa da superficialidade, agindo de acordo com o esquema dos críticos sociais reacionários, que contrapõem o capital produtivo ao capital usurário. Na medida em que de fato toda cultura toma parte no contexto de culpa da sociedade, ela deve sua existência à injustiça já cometida na esfera da produção. O mesmo ocorre, segundo a *Dialética do esclarecimento*, com o comércio. É por isso que a crítica cultural desloca a culpa: ela é ideologia, na medida em que permanece como mera crítica da ideologia. Os regimes totalitários de ambos os gêneros, buscando proteger o *status quo* das últimas inconveniências que temem de uma cultura já reduzida à condição de lacaio, conseguem convencer pela força essa cultura, e sua autoconsciência, de seu servilismo. Eles atacam o espírito, que já se tornou insuportável em si mesmo, e com isso ainda se sentem purificadores e revolucionários. A função ideológica da crítica cultural atrela à ideologia sua própria verdade, a resistência contra a ideologia. A luta contra a mentira acaba beneficiando o mais puro terror. "Quando ouço falar em cultura, destravo o meu revólver", dizia o porta-voz da Câmara de Cultura do Reich de Hitler.

Mas a crítica cultural somente pode reprovar tão incisivamente a cultura por sua decadência, apontada como uma violação da pura autonomia do espírito, uma prostituição, porque a própria cultura surge da separação radical entre trabalho intelectual e trabalho braçal, extraindo dessa separação, desse "pecado original", a sua força. Quando a cultura simplesmente nega essa separação e finge uma união harmoniosa, regride a algo anterior ao seu próprio conceito. Somente o espírito que, no delírio de seu caráter absoluto, se afasta por inteiro do mero existente determina verdadeiramente o mero existente em sua negatividade: mesmo que apenas um mínimo de espírito permaneça ligado à reprodução da vida, ele também há de ficar comprometido com ela. O desprezo dos atenienses pelo vulgar consistia basicamente em duas coisas: o orgulho arrogante de quem não suja as próprias mãos com aqueles de cujo trabalho vive e a preservação da imagem de uma existência que aponta para além da coerção existente por trás de todo trabalho. Ao dar voz à má consciência, projetando-a nas vítimas como "baixeza", essa atitude denuncia, ao mesmo tempo, o estado em que as vítimas se encontram: a submissão dos homens às formas vigentes da reprodução da vida. Toda "cultura pura" tem causado mal-estar aos porta-vozes do poder. Platão e Aristóteles sabiam muito bem por que não podiam deixar vingar essa concepção de cultura, preferindo defender, em questões sobre o julgamento da arte, um pragmatismo que se encontra em surpreendente contraste com o *pathos* dos dois grandes metafísicos. A mais recente crítica cultural burguesa tornou-se, sem dúvida, demasiado cautelosa para segui-los abertamente neste ponto, embora se acalme secretamente com a divisão entre alta cultura e cultura popular, entre arte e entretenimento, entre conhecimento e visão de mundo descomprometida. Essa crítica cultural burguesa é tão mais "antivulgar" do que a antiga elite ateniense quanto o proletariado é mais perigoso do que os escravos. O moderno conceito de cultura pura e autônoma indica que o antagonismo tornou-se inconciliável, tanto pela falta de compromisso para com o que é para outro quanto pela *hybris* da ideologia, que se entroniza como o que é em si.

A crítica cultural compartilha com seu objeto o ofuscamento. Ela é incapaz de deixar aflorar o reconhecimento de sua fragilidade, que é intrínseca à separação entre trabalho intelectual e trabalho manual. Nenhuma sociedade que contradiga o seu próprio conceito, o de humanidade, pode ter plena consciência de si mesma. Para impedir que isso ocorra não é preciso nem mesmo o aparato ideológico subjetivo, ainda que este, em períodos de grandes mudanças sociais, costume reforçar o ofuscamento objetivo. Pelo contrário, a afirmação de que todas as formas de repressão foram necessárias, de acordo com o estado da técnica, para a preservação da sociedade geral, e que a sociedade, tal como ela é, reproduziu de fato, apesar de todo o seu absurdo, a vida sob as condições existentes, suscita objetivamente a aparência de legitimação social. A cultura, enquanto conteúdo essencial da autoconsciência de uma sociedade constituída por classes antagônicas, não pode libertar-se dessa aparência, como também não o pode aquela crítica cultural que mede a cultura segundo seu próprio ideal. Em uma fase na qual a irracionalidade e a falsidade objetiva se escondem atrás da racionalidade e da necessidade objetiva, a aparência tornou-se total. Ainda assim, em virtude de sua violência real, os antagonismos acabam se impondo também na consciência. Justamente porque a cultura, para a glorificação da sociedade, afirma como válido o princípio de harmonia na sociedade antagônica, não pode evitar o confronto da sociedade com o seu próprio conceito de harmonia, o que leva a cultura a tropeçar em desarmonias. A ideologia que afirma a vida entra em contradição com a vida pelo impulso imanente do ideal. O espírito, que percebe que a realidade não se iguala a ele em tudo, mas sim está sujeita a uma dinâmica inconsciente e fatal, é impelido, contra a sua própria vontade, para além da apologia. O fato de que a teoria se transforma em um poder real quando empolga os homens fundamenta-se na objetividade do próprio espírito, que por força do cumprimento de sua função ideológica tem de perder a fé na ideologia. Movido pela incompatibilidade da ideologia com a existência, o espírito, ao expressar o ofuscamento, expressa ao mesmo tempo a tentativa de escapar a ele. Desiludido, o espírito percebe a crueza da mera existência e passa a responsabilidade à crítica. Então, ou ele amaldiçoa a base material, a partir do sempre questionável critério de seu princípio puro, ou toma consciência, por sua incompatibilidade com a base material, de sua própria questionabilidade. Por força da dinâmica da sociedade, a cultura torna-se crítica cultural. Esta mantém o conceito de cultura, demolindo porém as suas manifestações contemporâneas como meras mercadorias e meios de emburrecimento. Uma tal consciência crítica permanece submissa à cultura na medida em que, lidando com ela, aparta-se do horror, mas, ao mesmo tempo, essa consciência crítica também a determina como complemento do horror. A postura ambivalente da teoria social em relação à crítica cultural é uma consequência disso. O procedimento da crítica cultural está, ele mesmo, submetido a uma crítica permanente, tanto em seus pressupostos gerais, em sua imanência à sociedade vigente, quanto nos juízos concretos que enuncia. Pois a subserviência da crítica cultural acaba se revelando por seu conteúdo específico, e somente nele esta subserviência pode ser captada de modo conclusivo. Simultaneamente, porém, a teoria dialética — caso não queira sucumbir ao mero economicismo e a uma mentalidade que acredita que a transformação do mundo se esgota no aumento da produção — está obrigada a assumir para si mesma a crítica cultural, que é verdadeira na medida em que traz a inverdade à consciência de si mesma. Se a teoria dialética mostra-se desinteressada pela cultura enquanto um mero epifenômeno, acaba contribuindo para que a confusão cultural continue a se propagar e colabora na reprodução do que é ruim. O tradicionalismo cultural e o terror dos novos déspotas russos possuem o mesmo sentido. O faro de que ambos afirmam seu compromisso com a cultura como um todo, ao mesmo tempo que proscrevem todas as formas de consciência não ajustadas, não é algo menos ideológico do que a atitude da crítica que se limita a denunciar diante do seu tribunal uma cultura desorientada, ou responsabilizar seu alegado negativismo pelo que há de nefasto. Aceitar a cultura como um todo já é retirar-lhe o fermento de sua própria verdade: a negação. O entusiasmo pela cultura está em consonância com o clima produzido pela pintura de cenas de batalha e pela música militar. O que distingue a crítica dialética da crítica cultural é o fato de a primeira elevar a crítica até a própria suspensão [*Aufhebung*] do conceito de cultura.

Contra a crítica imanente da cultura pode-se argumentar que ela sonega o aspecto decisivo: o papel assumido pela ideologia nos conflitos sociais. Supor, ainda que apenas metodologicamente, algo como uma lógica autônoma da cultura seria colaborar, pelo desmembramento da cultura, com o *proton pseudos* ideológico, pois o conteúdo da cultura não residiria exclusivamente em si mesma, mas em sua relação com algo que lhe seria externo: o processo material da vida. A cultura, conforme Marx ensinou a propósito das relações jurídicas e das formas de Estado, não poderia ser entendida a "partir de si mesma, nem a partir do assim chamado desenvolvimento universal do espírito humano". Ignorar isso significaria praticamente transformar a ideologia no próprio tema da discussão, e com isso fortalecê-la. De fato, a versão dialética da crítica cultural não deve hipostasiar os critérios da cultura. A crítica dialética posiciona-se de modo dinâmico ao compreender a posição da cultura no interior do todo. Sem essa liberdade, sem o transcender da consciência para além da imanência cultural, a própria crítica imanente não seria concebível: só é capaz de acompanhar a dinâmica própria do objeto aquele que não estiver completamente envolvido por ele. Mas a exigência tradicional de uma crítica da ideologia também está sujeita a uma dinâmica histórica. Ela foi concebida contra o idealismo, visto como a forma filosófica na qual se espelharia a fetichização da cultura. Hoje, no entanto, a determinação da consciência pelo Ser tornou-se um meio de escamotear toda consciência que não estiver de acordo com o existente. O momento da objetividade da verdade, sem o qual não se pode conceber a dialética, passa a ser tacitamente substituído pelo positivismo vulgar e pelo pragmatismo, ou seja, em última instância, pelo subjetivismo burguês. Na era burguesa, a teoria predominante era a ideologia, e a práxis oposicionista se contrapunha imediatamente a ela. Hoje, a rigor, quase não há mais teoria, e a ideologia é como o ruído produzido pelas engrenagens da práxis inexorável. Não se ousa mais pensar nenhuma frase que não inclua gentilmente, em todas as áreas, indicações precisas sobre a quem ela deveria favorecer, o que antigamente era tarefa da polêmica descobrir. Mas o pensamento não ideológico é aquele que não se deixa reduzir a *operational terms*, procurando, em vez disso, ajudar a conduzir a própria coisa àquela linguagem que seria, de outro modo, bloqueada pela linguagem dominante. Desde que toda associação político-econômica avançada passou a considerar óbvio e evidente que o que importa é modificar o mundo, e que é bobagem ficar interpretando-o, tornou-se difícil simplesmente invocar as *Teses contra Feuerbach*. A dialética inclui também a relação entre ação e contemplação. Em uma época na qual as ciências sociais burguesas, segundo Scheler, "saquearam" o conceito marxista de ideologia, diluindo-o no relativismo generalizado, o perigo de se desconhecer a função das ideologias já é menor do que o perigo representado pela tendência de se dispor, de maneira administrativa, classificatória e estranha ao objeto, sobre as formações espirituais, enxertando-as simploriamente nas constelações de poder vigentes, que caberia ao espírito desvendar. Como vários outros elementos do materialismo dialético, também a noção de ideologia foi transformada de um meio de conhecimento em um meio de controle do conhecimento. Em nome da dependência da superestrutura em relação à infraestrutura, passa-se a vigiar a utilização das ideologias, em vez de criticá-las. Ninguém mais se preocupa com o conteúdo objetivo das ideologias, desde que essas cumpram sua função.

Mas a própria função das ideologias torna-se manifestamente cada vez mais abstrata. A suspeita dos antigos críticos culturais se confirmou: em um mundo onde a educação é um privilégio e o aprisionamento da consciência impede de toda maneira o acesso das massas à experiência autêntica das formações espirituais, já não importam tanto os conteúdos ideológicos específicos, mas o fato de que simplesmente haja algo preenchendo o vácuo da consciência expropriada e desviando a atenção do segredo conhecido por todos. No contexto de seu efeito social, é talvez menos importante saber quais as doutrinas ideológicas específicas que um filme sugere aos seus espectadores do que o fato de que estes, ao voltar para casa, estão mais interessados nos nomes dos atores e em seus casos amorosos. Conceitos vulgares como "entretenimento" são muito mais adequados do que considerações pretensiosas sobre o fato de um escritor ser representante da pequena burguesia e outro, da alta burguesia. A cultura tornou-se ideológica não só como a quintessência das manifestações subjetivamente elaboradas pelo espírito objetivo, mas, em maior medida, também como esfera da vida privada. Essa esconde, sob a aparência de importância e autonomia, o fato de que é mantida apenas como apêndice do processo social. A vida se transforma em ideologia da reificação, em máscara mortuária. E por isso que a tarefa da crítica, na maioria das vezes, não é tanto sair em busca de determinados grupos de interesse aos quais devem subordinar-se os fenômenos culturais, mas sim decifrar quais elementos da tendência geral da sociedade se manifestam através desses fenômenos, por meio dos quais se efetivam os interesses mais poderosos. A crítica cultural converte-se em fisiognomonia social. Quanto mais o todo é despojado de seus elementos espontâneos e socialmente mediado e filtrado, quanto mais ele é "consciência", tanto mais se torna "cultura". O processo material de produção se manifesta finalmente como aquilo que era em sua origem, ao lado dos meios de manutenção da vida, na relação de troca: como uma falsa consciência das partes contratantes uma a respeito da outra, como ideologia. Inversamente contudo, a consciência torna-se cada vez mais um mero momento de transição na montagem do todo. Hoje "ideologia" significa sociedade enquanto aparência. Embora seja mediada pela totalidade, atrás da qual se esconde a dominação do parcial, a ideologia não é redutível pura e simplesmente a um interesse parcial; por isso, de certo modo, está em todas as suas partes à mesma distância do centro.

A teoria crítica não pode admitir a alternativa entre colocar em questão, a partir de fora, a cultura como um todo, submetida ao conceito supremo de ideologia, ou confrontá-la com as normas que ela mesma cristalizou. Quanto à decisão de adotar uma postura imanente ou transcendente, trata-se de uma recaída na lógica tradicional, criticada na polêmica de Hegel contra Kant: todo e qualquer método que determina limites e se mantêm dentro dos limites de seu objeto suplanta, justamente por isso, esses limites. A posição que transcende a cultura é, em certo sentido, pressuposta pela dialética como aquela consciência que não se submete, de antemão, à fetichização da esfera do espírito. Dialética significa intransigência contra toda e qualquer reificação. O método transcendente, que se dirige ao todo, parece mais radical do que o método imanente, que pressupõe desde o início este todo questionável. O método transcendente pretende assumir uma posição semelhante a um ponto arquimediano, que transcenda a cultura e a rede de ofuscamento, a partir da qual a consciência conseguisse pôr em movimento a totalidade, por maior que fosse a inércia desta. O ataque ao todo retira sua força do fato de que quanto mais o mundo possui a aparência de unidade e totalidade, maior é o avanço da reificação e, portanto, da divisão. Mas a liquidação sumária da ideologia, que na esfera soviética já se tornou um pretexto para o terror cínico, na forma de respeito ao "objetivismo", concede demasiada honra a essa totalidade. Essa atitude compra *en bloc* da sociedade a sua cultura, sem levar em conta a maneira pela qual a sociedade a utiliza. A ideologia, ou seja, a aparência socialmente necessária, é hoje a própria sociedade real, na medida em que o seu poder integral e sua inexorabilidade, a sua irresistível existência em si, substitui o sentido por ela própria exterminado. A escolha de um ponto de vista subtraído da órbita da ideologia é tão fictícia quanto somente o foi a elaboração de utopias abstratas. E, por isso, que a crítica transcendente da cultura, semelhante à crítica burguesa da cultura, vê-se obrigada a retroceder, conjurando aquele ideal do "natural", que já é por si mesmo uma peça-chave da ideologia burguesa. O ataque transcendente à cultura fala geralmente a linguagem da falsa ruptura, a linguagem do "homem natural" [*Naturbursche*].

Ele despreza o espírito: as formações espirituais, apesar de tudo, são feitas pelo homem e servem apenas para encobrir a vida natural. Em nome dessa suposta futilidade, as formações espirituais deixam-se manipular arbitrariamente, sendo utilizadas para fins de dominação. Isso explica a insuficiência da maioria das contribuições socialistas à crítica cultural: elas fogem à experiência daquilo com que se ocupam. Ao desejar, como que por um golpe de borracha, apagar o todo, desenvolvem afinidades com a barbárie, e as suas simpatias são inegavelmente com o mais primitivo, o menos diferenciado, por mais que isso também esteja em contradição com o próprio estágio de desenvolvimento da força de produção intelectual. A rejeição peremptória da cultura torna-se pretexto para promover os mais rudes, os mais "saudáveis", eles mesmos repressivos, e sobretudo para resolver obstinadamente a favor da sociedade o eterno conflito entre sociedade e indivíduo — um conflito que deixa marcas em ambos — segundo os critérios dos administradores que se apoderaram da sociedade. A partir desse ponto, basta um passo para a reintrodução oficial da cultura. O procedimento imanente, por ser o mais essencialmente dialético, resiste contra isso. Ele leva a sério o princípio de que o não verdadeiro não é a ideologia em si, mas a sua pretensão de coincidir com a realidade. Crítica imanente de formações espirituais significa entender, na análise de sua conformação e de seu sentido, a contradição entre a ideia objetiva dessas formações e aquela pretensão, nomeando aquilo que expressa, em si, a consistência e a inconsistência dessas formações, em face da constituição da existência. Uma crítica como essa não se limita ao reconhecimento geral da servidão do espírito objetivo, mas procura transformar esse reconhecimento em força de observação da própria coisa. A compreensão da negatividade da cultura só é concludente quando demonstra ser a prova certeira da verdade ou inverdade de um conhecimento, da coerência ou incoerência de um pensamento, do acerto ou desacerto de uma formação, da substancialidade ou nulidade de uma figura de linguagem. Quando depara com insuficiências, não as atribui precipitadamente ao indivíduo e sua psicologia, ou à mera imagem encobridora do fracasso, mas procura derivá-las da irreconciliabilidade dos momentos do objeto. Essa crítica persegue a lógica de suas aporias, a insolubilidade intrínseca à própria tarefa. Compreende nestas antinomias as antinomias sociais. Para a crítica imanente uma formação bem-sucedida não é, porém, aquela que reconcilia as contradições objetivas no engodo da harmonia, mas sim a que exprime negativamente a ideia de harmonia, ao imprimir na sua estrutura mais íntima, de maneira pura e firme, as contradições. Diante dessas formações, perde sentido o veredito de que algo é "mera ideologia". Ao mesmo tempo, no entanto, a crítica imanente não cansa de pôr em evidência que todo espírito, até hoje, encontra-se submetido a uma interdição. Ele não tem o poder de suspender, a partir de si mesmo, as contradições nas quais trabalha. Mesmo a mais radical reflexão quanto ao próprio fracasso é limitada pelo fato de que permanece apenas uma reflexão, sem alterar a existência que testemunha o fracasso do espírito. Por isso a crítica imanente não consegue se confortar com seu conceito. Ela não é vaidosa o suficiente para acreditar que sua imersão no espírito corresponderia imediatamente à libertação de seu cativeiro, nem é suficientemente ingênua para acreditar que, por força da lógica da coisa, a firme imersão no objeto levaria à verdade, como se o conhecimento subjetivo sobre a má totalidade não se imiscuísse a todo instante, como que vindo de fora, na determinação do objeto. Quanto menos o método dialético pode hoje pressupor a identidade hegeliana de sujeito e objeto, tanto mais ele está obrigado a levar em conta a dualidade dos momentos, a relacionar o conhecimento da sociedade como totalidade, bem como o conhecimento da imbricação do espírito nela, com a pretensão do objeto a ser reconhecido como tal, segundo o seu conteúdo específico. Por isso a dialética não permite que nenhuma exigência de pureza lógica a impeça de passar de um gênero a outro, de fazer com que a coisa fechada sobre si própria se ilumine através do olhar voltado para a sociedade, de apresentar à sociedade a conta que a coisa não é capaz de pagar. Por fim, a própria oposição entre um conhecimento que se imponha de fora e um que se imponha de dentro torna-se, para o método dialético, suspeita de ser um sintoma daquela reificação que ele é obrigado a denunciar. À atribuição abstrata a um pensamento igualmente administrativo, no primeiro caso, corresponde, no segundo, o fetichismo de um objeto que é cego quanto a sua gênese, que se tomou prerrogativa do especialista. Mas se a consideração obstinadamente imanente ameaça recair no idealismo, na ilusão de um espírito autossuficiente que dispõe sobre si e sobre a realidade, assim também a consideração transcendente corre o risco de esquecer o trabalho do conceito e se contentar com a rotulação prescrita — em geral o termo "pequeno-burguês" — e com o *ucasse*[2] vindo do alto. O pensamento topológico, que sabe o lugar de cada fenômeno mas não sabe as características de nenhum, possui um secreto parentesco com o sistema paranoico da loucura, que se encontra alheio à experiência do objeto. O mundo passa a ser dividido em preto e branco por categorias que giram em falso, e desta forma é preparado para a dominação, contra a qual os conceitos haviam sido outrora concebidos. Nenhuma teoria, nem sequer a verdadeira, está segura de jamais se perverter em suposição, se alguma vez renunciar a uma relação espontânea com o objeto. A dialética tem de se resguardar contra essa perversão tanto quanto tem de se proteger do perigo de ficar aprisionada pelo objeto cultural. Não deve se sujeitar ao culto do espírito, nem à hostilidade contra o espírito. O crítico dialético da cultura deve participar e não participar da cultura. Só assim fará justiça à coisa e a si mesmo.

A tradicional crítica transcendente da ideologia é obsoleta. Por princípio, devido à transposição direta do conceito de causalidade do âmbito da natureza física para o da sociedade, o método sucumbe exatamente àquela reificação que tem como tema crítico, regredindo a uma posição inferior a seu próprio objeto. Mesmo assim, o método transcendente pode invocar, em sua defesa, que só utiliza conceitos essencialmente reificados na medida em que a própria sociedade está reificada que, com a crueza e rigidez do conceito de causalidade, coloca uma espécie de espelho diante da sociedade, que por sua vez transpõe para o espírito a sua própria crueza e rigidez, bem como a sua degradação. Mas a tenebrosa sociedade unitária não tolera mais sequer aqueles momentos relativamente autônomos e distanciados, aos quais outrora se referia a teoria da dependência causal entre superestrutura e infraestrutura. Nessa prisão ao ar livre em que o mundo está se transformando, já nem importa mais o que depende do quê, pois tudo se tornou uno. Todos os fenômenos enrijecem-se em insígnias da dominação absoluta do que existe. Não há mais ideologia no sentido próprio de falsa consciência, mas somente propaganda a favor do mundo, mediante a sua duplicação e a mentira provocadora, que não pretende ser acreditada, mas que pede o silêncio. Exatamente por isso a questão da dependência causal da cultura, que logo ressoa como a voz daquilo que lhe impõe a dependência, contém algo de primitivo. No fim das contas, entretanto, até mesmo o método imanente é atingido por isso. Ele é arrastado por seu objeto para o abismo. A cultura materialisticamente transparente não se tornou materialisticamente mais honesta, apenas mais vulgar. Com a perda de sua própria particularidade, perdeu também o sal da verdade, que antigamente consistia em sua oposição a outras particularidades. Colocá-la diante da responsabilidade que recusa é apenas afirmar sua pretensão de relevância cultural. Neutralizada e pré-fabricada, a totalidade da cultura tradicional acaba sendo hoje aniquilada: através de um processo inexorável, a sua herança, reclamada pelos russos com ar virtuoso, tornou-se dispensável e supérflua em larga escala, um refugo para o qual os mercadores da cultura de massa podem, então, novamente apontar com um sorriso irônico, já que eles a tratam exatamente dessa forma. Quanto mais totalitária for a sociedade, tanto mais reificado será também o espírito, e tanto mais paradoxal será o seu intento de escapar por si mesmo da reificação. Mesmo a mais extremada consciência do perigo corre o risco de degenerar em conversa fiada. A crítica cultural encontra-se diante do último estágio da dialética entre cultura e barbárie: escrever um poema após Auschwitz é um ato bárbaro, e isso corrói até mesmo o conhecimento de por que hoje se tornou impossível escrever poemas. Enquanto o espírito crítico permanecer em si mesmo em uma contemplação autossuficiente, não será capaz de enfrentar a reificação absoluta, que pressupõe o progresso do espírito como um de seus elementos, e que hoje se prepara para absorvê-lo inteiramente.

NOTAS

1. Tradução de Augustin Wernet e Jorge M. B. de Almeida. Publicado originalmente em *Prismas*, São Paulo, Ática, 1998.
2. Decreto despótico proferido pelo czar na Rússia absolutista.

Tempo livre[1]

Theodor W. Adorno
(1969)

A questão do tempo livre: o que as pessoas fazem com ele, que chances eventualmente oferece o seu desenvolvimento, não pode ser formulada em generalidade abstrata. A expressão, de origem recente, aliás — antes se dizia ócio, e este era um privilégio de uma vida folgada e, portanto, algo qualitativamente distinto e muito mais grato, mesmo desde o ponto de vista do conteúdo —, aponta a uma diferença específica que o distingue do tempo não livre, aquele que é preenchido pelo trabalho e, poderíamos acrescentar, na verdade, determinado desde fora. O tempo livre é acorrentado ao seu oposto. Essa oposição, a relação em que ela se apresenta, imprime-lhe traços essenciais. Além do mais, muito mais fundamentalmente, o tempo livre dependerá da situação geral da sociedade. Mas essa, agora como antes, mantém as pessoas sob um fascínio. Nem em seu trabalho, nem em sua consciência dispõem de si mesmas com real liberdade. Até mesmo aquelas sociologias conciliadoras que utilizam o conceito de papéis como chave reconhecem isso, enquanto, como sugere esse conceito de papéis tomado do teatro, a existência que a sociedade impõe às pessoas não se identifica com o que as pessoas são ou poderiam ser em si mesmas. Decerto, não se pode traçar uma divisão tão simples entre as pessoas em si e seus assim chamados papéis sociais. Esses penetram profundamente nas próprias características das pessoas, em sua constituição íntima. Numa época de integração social sem precedentes, fica difícil estabelecer, de forma geral, o que resta nas pessoas, além do determinado pelas funções. Isso pesa muito sobre a questão do tempo livre. Não significa menos do que, mesmo onde o encantamento se atenua e as pessoas estão ao menos subjetivamente convictas de que agem por vontade própria, essa vontade é modelada por aquilo de que desejam estar livres fora do horário de trabalho. A indagação adequada ao fenômeno do tempo livre seria, hoje, porventura, esta: "Que ocorre com ele com o aumento da produtividade no trabalho, mas persistindo as condições de não liberdade, isto é, sob relações de produção em que as pessoas nascem inseridas e que, hoje como antes, lhes prescrevem as regras de sua existência?". Já agora, o tempo livre aumentou sobremaneira; graças às invenções, ainda não totalmente utilizadas — em termos econômicos — nos campos da energia atômica e da automação, poderá aumentar cada vez mais. Se se quisesse responder à questão sem asserções ideológicas, seria tornada imperiosa a suspeita de que o tempo livre tende em direção contrária à de seu próprio conceito, tornando-se paródia deste. Nele se prolonga a não liberdade, tão desconhecida da maioria das pessoas não livres como a sua não liberdade, em si mesma.

Para esclarecer o problema, eu gostaria de fazer uso de uma pequena experiência pessoal. Em entrevistas e levantamentos de dados, sempre se é questionado sobre o seu *hobby*. Quando as revistas ilustradas informam a respeito de algum figurão da indústria cultural, falar dos quais é, por sua vez, a ocupação principal da indústria cultural, poucas vezes perdem o ensejo de relatar algo mais ou menos íntimo sobre os *hobbies* dos mesmos. Quando me toca essa questão, fico apavorado: Eu não tenho nenhum *hobby*. Não que eu seja uma besta de trabalho que não sabe fazer consigo nada além de esforçar-se e fazer aquilo que deve fazer. Mas aquilo com o que me ocupo fora da minha profissão oficial é, para mim, sem exceção, tão sério que me sentiria chocado com a ideia de que se tratasse de *hobbies*, portanto ocupações nas quais me jogaria absurdamente só para matar o tempo, se minha experiência contra todo tipo de manifestações de barbárie — que se tomaram como que coisas naturais — não me tivesse endurecido. Compor música, escutar música, ler concentradamente, são momentos integrais da minha existência, a palavra *hobby* seria escárnio em relação a elas. Inversamente, meu trabalho, a produção filosófica e sociológica e o ensino na universidade, têm-me sido tão gratos até o momento que não conseguiria considerá-los como opostos ao tempo livre, como a habitualmente cortante divisão requer das pessoas. Sem dúvida, estou consciente de que estou falando como privilegiado, com a cota de casualidade e de culpa que isso comporta; como alguém que teve a rara chance de escolher e organizar seu trabalho essencialmente segundo as próprias intenções. Esse aspecto conta, não em último lugar, para o fato de que aquilo que faço fora do horário de trabalho não se encontre em estrita oposição em relação a este. Caso um dia o tempo livre se transformasse efetivamente naquela situação em que aquilo que antes fora privilégio agora se tornasse benefício de todos — e algo disso alcançou a sociedade burguesa, em comparação com a feudal —, eu imaginaria este tempo livre segundo o modelo que observei em mim mesmo, embora esse modelo, em circunstâncias diferentes, ficasse, por sua vez, modificado.

Quando se aceita como verdadeiro o pensamento de Marx, de que na sociedade burguesa a força de trabalho tornou-se mercadoria e, por isso, o trabalho foi coisificado, então a palavra *hobby* conduz ao paradoxo de que aquele estado, que se entende como o contrário de coisificação, como reserva de vida imediata em um sistema total completamente mediado, é, por sua vez, coisificado da mesma maneira que a rígida delimitação entre trabalho e tempo livre. Neste prolongam-se as formas de vida social organizada segundo o regime do lucro.

A própria ironia da expressão *negócios do tempo livre* [*Freizeitgeschäft*] está tão profundamente esquecida quanto se leva a sério o *show business*. É bem conhecido, e nem por isso menos verdadeiro, que os fenômenos específicos do tempo livre como o turismo e o *camping* são acionados e organizados em função do lucro. Simultaneamente, a distinção entre trabalho e tempo livre foi incutida como norma a consciência e inconsciência das pessoas. Como, segundo a moral do trabalho vigente, o tempo em que se está livre do trabalho tem por função restaurar a força de trabalho, o tempo livre do trabalho — precisamente porque é um mero apêndice do trabalho — vem a ser separado deste com zelo puritano. Aqui nos deparamos com um esquema de conduta do caráter burguês. Por um lado, deve-se estar concentrado no trabalho, não se distrair, não cometer disparates; sobre essa base, repousou outrora o trabalho assalariado, e suas normas foram interiorizadas. Por outro lado, deve o tempo livre, provavelmente para que depois se possa trabalhar melhor, não lembrar em nada o trabalho. Essa é a razão da imbecilidade de muitas ocupações do tempo livre. Por baixo do pano, porém, são introduzidas, de contrabando, formas de comportamento próprias do trabalho, o qual não dá folga às pessoas. Nos boletins escolares, havia outrora notas para a atenção. Isso correspondia ao cuidado, talvez subjetivamente bem-intencionado, dos pais de que as crianças não se esforçassem demais no tempo livre: não ler demais, não deixar a luz acesa por muito tempo à noite. Secretamente, os pais farejavam por trás disso uma rebeldia do espírito ou, também, uma insistência no prazer, a qual é incompatível com a divisão racional da existência, Toda mescla, aliás, toda falta de distinção nítida, inequívoca, torna-se suspeita ao espírito dominante. Essa rígida divisão da vida em duas metades enaltece a coisificação que entrementes subjugou quase completamente o tempo livre.

Podemos esclarecer isso de maneira simples através da ideologia do *hobby*. Na naturalidade da pergunta sobre qual *hobby* se tem está subentendido que se deve ter um, porventura, também já escolhido de acordo com a oferta do negócio do tempo livre. Liberdade organizada é coercitiva. Ai de ti se não tens um *hobby*, se não tens ocupação para o tempo livre então tu és um pretensioso ou antiquado, um bicho raro, e cais em ridículo perante a sociedade, a qual te impinge o que deve ser o teu tempo livre. Tal coação não é, de nenhum modo, somente exterior. Ela se liga às necessidades das pessoas sob um sistema funcional. No *camping* — no antigo movimento juvenil, gostava-se de acampar — havia protesto contra o tédio e o convencionalismo burgueses. O que os jovens queriam era sair, no duplo sentido da palavra. Passar a noite a céu aberto equivalia a escapar da casa, da família. Essa necessidade, depois da morte do movimento juvenil, foi aproveitada e institucionalizada pela indústria do *camping*, que não poderia obrigar as pessoas a comprar barracas e *motorhomes*, além de inúmeros utensílios auxiliares, se algo nas pessoas não ansiasse por isso. Mas, a própria necessidade de liberdade é funcionalizada e reproduzida pelo comércio; o que as pessoas querem lhes é, mais uma vez, imposto. Por isso, a integração do tempo livre é alcançada sem maiores dificuldades; as pessoas não percebem o quanto não são livres lá onde mais livres se sentem, porque a regra de tal ausência de liberdade foi abstraída delas.

Se o conceito de tempo livre, em oposição ao de trabalho, é colocado de maneira tão estrita, como, ao menos, corresponde a uma velha ideologia, hoje talvez ultrapassada, então ele se torna algo nulo — Hegel teria dito: abstrato. Exemplar é o comportamento daqueles que se deixam queimar ao sol, só por amor ao bronzeado e, embora o estado de letargia a pleno sol não seja prazeroso de maneira nenhuma, e talvez desagradável fisicamente, o certo é que torna as pessoas espiritualmente inativas. O caráter fetichista da mercadoria se apodera, através do bronzeado da pele — que, de resto, pode ficar muito bem — das pessoas em si; elas se transformam em fetiches para si mesmas. A ideia de que uma garota, graças à sua pele bronzeada, tenha um atrativo erótico especial, é provavelmente apenas uma racionalização. O bronzeado tornou-se um fim em si, mais importante que o flerte para o qual talvez devesse servir em princípio. Quando um funcionário retorna das férias sem ter obtido a cor obrigatória, pode estar certo de que os colegas perguntarão mordazes: "Mas não estavas de férias?" O fetichismo que medra no tempo livre está sujeito a controles sociais suplementares. Que a indústria dos cosméticos, com sua propaganda avassaladora e inevitável, contribua para isso é tão natural e evidente quanto o é que as pessoas condescendentes o reprimam.

No estado de letargia culmina um momento decisivo do tempo livre nas condições atuais: o tédio. Insaciáveis são também as sátiras sobre as maravilhas que as pessoas esperam das viagens de férias ou de qualquer situação excepcional do tempo livre, enquanto tampouco aqui conseguem escapar do sempre-igual; que não se dissipa mais, como o *ennui* [enfado] de Baudelaire, com a distância. Gracejos em relação à vítima são o acompanhamento dos mecanismos que a tomam tal. Schopenhauer formulou cedo uma teoria sobre o tédio. De acordo com o seu pessimismo metafísico, ele ensinava que, ou as pessoas sofrem pelo apetite insatisfeito de sua cega vontade, ou se entediam tão pronto aquele esteja satisfeito. A teoria descreve muito bem o que ocorre com o tempo livre das pessoas sob aquelas condições, que Kant teria denominado *situação de heteronomia* e que, hoje, em alemão moderno, se costuma chamar de heterodeterminação; também o arrogante dito de Schopenhauer de que as pessoas são produtos fabris da natureza atinge, através de seu cinismo, algo daquilo que determina nas pessoas a totalidade do caráter de mercadoria. Seu irado cinismo sempre as dignifica mais do que as solenes afirmações de que elas possuem um núcleo imperdível. Apesar disso, a teoria schopenhaueriana não deve ser hipostasiada, nem ser considerada pura e simplesmente válida ou, porventura, ser encarada como condição original da espécie humana. O tédio existe em função da vida sob a coação do trabalho e sob a rigorosa divisão do trabalho. Não teria que existir. Sempre que a conduta no tempo livre é verdadeiramente autônoma, determinada pelas próprias pessoas enquanto seres livres, é difícil que se instale o tédio; tampouco ali onde elas perseguem seu anseio de felicidade, ou onde sua atividade no tempo livre é racional em si mesma, como algo em si pleno de sentido. O próprio bobear [*Blödeln*] não precisa ser obtuso, podendo ser beatificamente desfrutado como dispensa dos autocontroles. Se as pessoas pudessem decidir sobre si mesmas e sobre suas vidas, se não estivessem encerradas no sempre-igual, então não se entediariam. Tédio é o reflexo do cinza objetivo. Ocorre com ele algo semelhante ao que se dá com a apatia política. A razão mais importante para esta última é o sentimento, de nenhum modo injustificado das massas, de que, com a margem de participação na política que lhes é reservada pela sociedade, pouco podem mudar em sua existência, bem como, talvez, em todos os sistemas da terra atualmente. O nexo entre a política e os seus próprios interesses lhes é opaco, por isso recuam diante da atividade política. Em íntima relação com o tédio está o sentimento, justificado ou neurótico, de impotência: tédio é o desespero objetivo. Mas, ao mesmo tempo, também a expressão de deformações que a constituição global da sociedade produz nas pessoas. A mais importante, sem dúvida, é a detração da fantasia e seu atrofiamento. A fantasia fica tão suspeita quanto a curiosidade sexual e o anseio pelo proibido, assim como dela suspeita o espírito de uma ciência que já não é mais espírito. Quem quiser adaptar-se, deve renunciar cada vez mais à fantasia. Em geral, mutilada por alguma experiência da primeira infância, nem consegue desenvolvê-la. A falta de fantasia, implantada e insistentemente recomendada pela sociedade, deixa as pessoas desamparadas em seu tempo livre. A pergunta descarada sobre o que o povo fará com todo o tempo livre de que hoje dispõe — como se esse fosse uma esmola e não um direito humano — baseia-se nisso. Que efetivamente as pessoas só consigam fazer tão pouco de seu tempo livre se deve a que, de antemão, já lhes foi amputado o que poderia tornar prazeroso o tempo livre. Tanto ele lhes foi recusado e difamado que já nem o querem mais. A diversão, por cuja superficialidade o conservadorismo cultural as esnoba ou injuria, lhes é necessária para forjar no horário de trabalho aquela tensão que o ordenamento da sociedade, elogiado por este mesmo conservadorismo cultural, exige delas. Essa não é a última das razões por que as pessoas seguem acorrentadas ao trabalho e ao sistema que as adestra para o trabalho depois que, em grande medida, ele já nem necessitaria desse trabalho.

Sob as condições vigentes, seria inoportuno e insensato esperar ou exigir das pessoas que realizem algo produtivo em seu tempo livre, uma vez que se destruiu nelas justamente a produtividade, a capacidade criativa. Aquilo que produzem no tempo livre, na melhor das hipóteses, nem é muito melhor que o ominoso *hobby*, imitações de poesias ou pinturas, as quais, sob a divisão do trabalho, dificilmente revogável, outros fazem bem melhor que os artistas das horas vagas [*Freizeitler*]. O que produzem tem algo de supérfluo. Essa superfluidade comunica-se à qualidade inferior da produção, ficando, com isso, estragada a alegria do trabalho.

Também a atividade supérflua e sem sentido do tempo livre é socialmente integrada. Novamente entra em jogo uma necessidade social. Certas formas de serviços, em especial os domésticos, extinguem-se; a demanda é desproporcional em relação à oferta. Nos Estados Unidos, somente pessoas realmente abastadas podem manter criadas; a Europa segue rapidamente pelo mesmo caminho. Isso obriga muitas pessoas a realizar atividades subalternas que antes eram delegadas. A isso se vincula o lema "*do it yourself*", "faça você mesmo", como conselho prático; sem dúvida, também no fastio que as pessoas experimentam ante a mecanização que as alivia de uma carga sem que elas — e esse fato não é contestável, somente sua interpretação habitual — saibam fazer uso do tempo ganho. Daí que, novamente no interesse de indústrias especializadas, sejam encorajadas a fazer elas mesmas o que outros poderiam fazer por elas melhor e mais facilmente e que, no fundo, por isso mesmo, elas têm que desdenhar. De resto, pertence a uma camada muito antiga da consciência burguesa que o dinheiro gasto com serviçais, na sociedade de divisão do trabalho, poderia ser economizado, por obstinado interesse pessoal, cego ao fato de que o mecanismo todo só se mantém vivo através das trocas de práticas especializadas. Guilherme Tell, o abominável protótipo de uma personalidade rude, preconiza que o machado em casa economiza o carpinteiro; assim também, das máximas de Schiller, seria possível compilar toda uma ontologia da consciência burguesa.

O *"do it yourself"*, um tipo de comportamento recomendado atualmente para o tempo livre, inscreve-se, não obstante, em um contexto mais amplo. Eu já o designei, há mais de trinta anos atrás, como *pseudoatividade*. Desde então, a pseudoatividade ampliou-se assustadoramente, também e precisamente entre aqueles que se sentem como questionadores da sociedade. De uma forma geral, pode-se presumir, na pseudoatividade, uma necessidade represada de mudanças nas relações fossilizadas. Pseudoatividade é espontaneidade mal orientada. Mal orientada, mas não por acaso, e sim porque as pessoas pressentem surdamente quão difícil seria para elas mudar o que pesa sobre seus ombros. Preferem deixar-se desviar para atividades aparentes, ilusórias, para satisfações compensatórias institucionalizadas, a tomar consciência de quão obstruída está hoje tal possibilidade. Pseudoatividade são ficções e paródias daquela produtividade que a sociedade, por um lado, reclama incessantemente e, por outro lado, refreia e não quer muito nos indivíduos. Tempo livre produtivo só seria possível para pessoas emancipadas, não para aquelas que, sob a heteronomia, tornaram-se heterônomas também para si próprias.

Tempo livre, entretanto, não está em oposição somente com trabalho. Em um sistema, no qual o pleno emprego tornou-se um ideal em si mesmo, o tempo livre segue diretamente o trabalho como sua sombra. Ainda faz falta uma penetrante sociologia do esporte, sobretudo do espectador esportivo. Todavia, parece evidente a hipótese, entre outras, de que, mediante os esforços requeridos pelo esporte, mediante a funcionalização do corpo no *team*, que se realiza precisamente nos esportes prediletos, as pessoas adestram-se sem sabê-lo para as formas de comportamento mais ou menos sublimadas que delas se espera no processo do trabalho. A velha argumentação de que se pratica esporte para permanecer *fit* é falsa só pelo fato de colocar a *fitness* como fim em si; *fitness* para o trabalho é contudo uma das finalidades secretas do esporte. De muitas maneiras, no esporte, nós nos obrigaremos a fazer certas coisas — e então gozaremos como sendo triunfo da própria liberdade — que, sob a pressão social, nós temos que obrigar-nos a fazer e ainda temos que achar palatável.

Permitam-me ainda uma palavra sobre a relação entre o tempo livre e a indústria cultural. Sobre essa, enquanto meio de domínio e de integração, foi escrito tanto desde que Horkheimer e eu introduzimos o seu conceito há mais de vinte anos, que me limitarei a destacar um problema específico de que não conseguimos dar-nos conta na ocasião. O crítico da ideologia que se ocupa da indústria cultural haverá de inclinar-se para a opinião de que — uma vez que os *standards* da indústria cultural são os mesmos dos velhos passatempos e da arte menor, congelados — ela domina e controla, de fato e totalmente, a consciência e inconsciência daqueles aos quais se dirige e de cujo gosto ela procede, desde a era liberal. Além disso, há motivos para admitir que a produção regula o consumo tanto na vida material quanto na espiritual, sobretudo ali onde se aproximou tanto do material como na indústria cultural. Deveríamos, portanto, pensar que a indústria cultural e seus consumidores são adequados um ao outro. Como, porém, a indústria cultural, entretanto, tornou-se totalmente fenômeno do sempre-igual, do qual promete afastar temporariamente as pessoas, é de se duvidar se a equação entre a indústria cultural e a consciência dos consumidores é precedente. Há alguns anos, no Instituto de Pesquisas Sociais de Frankfurt, realizamos um estudo consagrado a esse problema. Infelizmente, a valoração do material teve que ceder lugar a tarefas mais urgentes. Mesmo assim, uma ligeira vista-d'olhos desse material pode ser relevante em alguns pontos para o assim chamado problema do tempo livre. O estudo era relativo ao casamento da princesa Beatriz, da Holanda, com o jovem diplomata alemão Claus von Arnsberg. Deveríamos verificar como o povo alemão reagia a este casamento, o qual, difundido por todos os meios de comunicação de massa e minuciosamente descrito pelas revistas ilustradas, era consumido durante o tempo livre. Dado o modo de apresentação e a quantidade de artigos que foram escritos sobre o acontecimento, atribuindo-lhe importância extraordinária, esperávamos que também os telespectadores e os leitores o considerariam igualmente importante. Acreditávamos, em especial, que operaria a hoje típica ideologia da personalização, que consiste em atribuir-se importância desmedida a pessoas individuais e a relações privadas contra o efetivamente determinante, desde o ponto de vista social, evidentemente como compensação da funcionalização da realidade. Com toda prudência, gostaria de dizer que tais expectativas eram demasiado simples. O estudo oferece diretamente um paradigma de como uma reflexão teórico crítica pode aprender da investigação social empírica e retificar-se sobre a base desta. Esboçam-se sintomas de uma consciência duplicada. Por um lado, o acontecimento foi degustado como um *aqui e agora,* como algo que a vida geralmente nega às pessoas; devia ser único [*einmalig*], segundo o clichê da moda na linguagem alemã de hoje. Até aqui, a reação dos espectadores encaixou-se no conhecido esquema que transforma em bem de consumo inclusive as notícias atuais e, quiçá, as políticas. Mas, em nosso questionário, complementamos, para efeito de controle, as perguntas tendentes a conhecer as reações imediatas, com outras orientadas a averiguar que *significação* política atribuíam os interrogados ao tão alardeado acontecimento. Verificamos que muitos — a proporção não vem ao caso agora — inesperadamente se portavam de modo bem realista e avaliavam com sentido crítico a importância política e social de um acontecimento cuja singularidade bem propagada os havia mantido em suspenso ante a tela do televisor. Em consequência, se minha conclusão não é muito apressada, as pessoas aceitam e consomem o que a indústria cultural lhes oferece para o tempo livre, mas com um tipo de reserva, de forma semelhante à maneira como mesmo os mais ingênuos não consideram reais os episódios oferecidos pelo teatro e pelo cinema. Talvez mais ainda: não se acredita inteiramente neles. É evidente que ainda não se alcançou inteiramente a integração da consciência e do tempo livre. Os interesses reais do indivíduo ainda são suficientemente fortes para, dentro de certos limites, resistir à apreensão [*Erfassunfi*] total. Isso coincidiria com o prognóstico social, segundo o qual, uma sociedade, cujas contradições fundamentais permanecem inalteradas, também não poderia ser totalmente integrada pela consciência. A coisa não funciona assim tão sem dificuldades, e menos no tempo livre, que, sem dúvida, envolve as pessoas, mas, segundo seu próprio conceito, não pode envolvê-las completamente sem que isso fosse demasiado para elas. Renuncio a esboçar as consequências disso; penso, porém, que se vislumbra aí uma chance de emancipação que poderia, enfim, contribuir algum dia com a sua parte para que o tempo livre [*Freizeit*] se transforme em liberdade [*Freizeit*].

NOTA

1. Tradução de Maria Helena Ruschel. Publicado originalmente em *Palavras e sinais*, Petrópolis, Vozes, 1995.

Este livro foi composto na tipografia Minion Pro, em corpo 11,5/16, e impresso em papel off-white no Sistema Cameron da Divisão Gráfica da Distribuidora Record.